Nous remercions le ministère du Patrimoine canadien,
la SODEC et le Conseil des Arts du Canada
de l'aide accordée à notre programme de publication

  Patrimoine   Canadian
canadien   Heritage

 Conseil des Arts   Canada Council
du Canada   for the Arts

ainsi que le Gouvernement du Québec
– Programme de crédit d'impôt
pour l'édition de livres
– Gestion SODEC.

Nous reconnaissons l'aide financière
du Gouvernement du Canada
par l'entremise du Programme d'aide au développement
de l'industrie de l'édition (PADIÉ) pour ce projet.

Illustration de la couverture :
Carl Pelletier pour Polygone Studio

Maquette de la couverture:
Grafikar

Montage de la couverture:
Ariane Baril

Édition électronique:
Infographie DN

Membre de l'Association nationale des éditeurs de livres

ASSOCIATION
NATIONALE
DES ÉDITEURS
DE LIVRES

Dépôt légal: 1er trimestre 2010
Bibliothèque nationale du Canada
Bibliothèque nationale du Québec

1234567890 IML 543210

SÉTI,
LE TEMPS DES LOUPS

TOME 5

DU MÊME AUTEUR
AUX ÉDITIONS PIERRE TISSEYRE

Collection Papillon

La folie du docteur Tulp, 2002
(en collaboration avec Marie-Andrée Boucher).

Collection Chacal

La maudite, 1999.
Quand la bête s'éveille, 2001.
La main du diable, 2006.
Séti, le livre des dieux, tome 1, 2007.
Séti, le rêve d'Alexandre, tome 2, 2007.
Séti, la malédiction du gladiateur, tome 3, 2007.
Séti, l'anneau des géants, tome 4, 2008.

Collection Conquêtes

L'Ankou ou l'ouvrier de la mort, 1996.
Terreur sur la Windigo, 1997 (finaliste au Prix du Gouverneur
général 1998).
Ni vous sans moi, ni moi sans vous, 1999 (finaliste au Prix
du Gouverneur général 2000).
Siegfried ou L'or maudit des dieux, 2000 (finaliste au prix
M. Christie 2001).
Une dette de sang, 2003.
La porte de l'enfer, 2005.
Nuits rouges, 2006 (finaliste au Prix du Gouverneur général 2006).
Émile Nelligan ou l'abîme du rêve, 2006.

Collection Ethnos

Par le fer et par le feu, 2006.
L'Homme de l'aube, 2007.

Aux Éditions Hurtubise/HMH (jeunesse)

Le fantôme du rocker, 1992.
Le cosmonaute oublié, 1993.
Anatole le vampire, 1996.
Le chat du père Noé, 2006 (finaliste au prix TFD).

Aux Éditions Triptyque

Le métier d'écrivain au Québec (1840-1900), 1996.
Dictionnaire des pensées politiquement tordues, 1997.

SÉTI,
LE TEMPS DES LOUPS

TOME 5

DANIEL MATIVAT

roman

ÉDITIONS
PIERRE TISSEYRE
w w w . t i s s e y r e . c a

9300, boul. Henri-Bourassa Ouest, bureau 220
Saint-Laurent (Québec) H4S 1L5
Téléphone : 514-335-0777 – Télécopieur : 514-335-6723
Courriel : info@edtisseyre.ca

Catalogage avant publication de
Bibliothèque et Archives nationales du Québec
et Bibliothèque et Archives Canada

Mativat, Daniel, 1944-

    Séti, le temps des loups

    (Collection Chacal ; 52) (Séti ; 5)
    Suite de : Séti, l'anneau des géants
    Pour les jeunes de 14 ans et plus.

    ISBN 978-2-89633-140-6

    I. Pelletier, Carl. II. Titre III. Collection : Collection
    Chacal ; 52.

PS8576.A828S483 2010   jC843'.54   C2009-942597-1
PS9576.A828S483 2010

I

Premières menaces

Jusqu'ici, le fait de posséder le livre de Thot et les mémoires de Séti n'avait suscité chez moi aucune peur. Il s'agissait à mes yeux de trésors archéologiques dont la valeur inestimable justifiait certes quelques précautions, mais je ne m'étais jamais cru en danger. Ceci jusqu'à ce jour fatidique du mois de janvier où une suite d'événements troublants me fit changer d'avis.

Je venais d'ouvrir le cinquième volume des confessions de Séti l'Égyptien. Elles étaient rédigées en caractères différents des précédentes. Des caractères gothiques tracés sur un palimpseste très fragilisé remontant selon toute vraisemblance au milieu du XIVe siècle.

7

Dehors, il faisait un froid cinglant et une grosse tempête de neige paralysait la ville où ne circulaient plus que de rares chasse-neige.

Le téléphone sonna.

Je décrochai.

— Allo?

Personne. Ou plutôt une sorte de souffle rauque.

Je raccrochai.

J'eus à peine le temps de reprendre ma lecture. La sonnerie retentit de nouveau.

— Allo? Allo?

Au bout du fil, toujours cette respiration haletante que je pris d'abord pour celle d'un plaisantin ou d'un maniaque. Néanmoins, j'étais incapable de raccrocher le combiné. Car il y avait dans ce râle puissant quelque chose d'inhumain, à la fois insoutenable et envoûtant.

— Allo? Allez-vous parler à la fin? Qui êtes-vous?

Le bruit cessa et laissa place à un silence pesant qui, je ne sais pourquoi, me glaça d'angoisse.

— Que... Que voulez-vous?

C'est alors qu'une voix gutturale, semblant sortir du fond des âges, me répondit:

— Je veux que tu me rendes mon bien !

Je raccrochai immédiatement en proie, cette fois, à un sentiment de panique incontrôlable.

Dehors, le vent rageait et le grésil crépitait contre les carreaux. Je me levai de mon fauteuil et allai à la fenêtre. Balayé par la poudrerie, le parc en contrebas de chez moi, avec ses bancs à demi ensevelis sous la neige, ressemblait à un cimetière blanc sous la lumière blafarde d'un réverbère.

Je scrutai longuement cet espace désert, comme si l'inconnu à la voix d'outre-tombe était là, quelque part, à m'observer.

Au coin de la rue, dans la pénombre, se trouvait une cabine téléphonique. À travers le tourbillonnement de la tempête, je crus une seconde y apercevoir une silhouette. Mais l'instant d'après, toute la ville fut soudainement plongée dans les ténèbres.

Panne de courant.

Dans les jours qui suivirent, je ne reçus pas d'autres appels. Par contre, plusieurs nouvelles inquiétantes me parvinrent en même temps. En d'autres circonstances, elles m'auraient semblé banales, mais leur succession me donna l'impression qu'on me mettait en garde ou, pire encore, qu'une sourde menace pesait sur moi et mon entourage.

Il y eut d'abord cette lettre que je reçus de la part du directeur du Département des antiquités du Caire. On m'y annonçait que Ahmed et Omar, les ouvriers que j'avais engagés lors de mes fouilles dans le Djebel-al-Mawta, étaient tous les deux morts de façon bouleversante. Le premier avait été mordu par un cobra pendant son sommeil. Le second s'était défenestré du cinquième étage de l'hôpital psychiatrique où on l'avait enfermé à la suite d'une crise de paranoïa aiguë au cours de laquelle il avait prétendu être tourmenté jour et nuit par un être malfaisant, mi-homme, mi-serpent.

Puis, il y eut une entrée par effraction dans mon appartement alors que j'étais allé consulter un éminent confrère du British Museum, spécialiste des sciences occultes dans l'Égypte antique.

Le loft entier avait été saccagé: les meubles renversés, les fauteuils et les canapés éventrés, les livres de ma bibliothèque éparpillés. Mais, par bonheur, mes voleurs n'avaient pas découvert le coffre-fort où je rangeais le livre de Thot et les différents cahiers des mémoires de Séti. J'avais prudemment dissimulé l'ensemble dans le mur en brique du monte-charge désaffecté de mon immeuble, lui-même protégé par un lourd rideau de fer.

De toute évidence, il ne s'agissait pas d'un simple cambriolage et cette intrusion était reliée aux événements préoccupants survenus quelque temps auparavant. En effet, le système d'alarme ne s'était pas déclenché et les serrures n'avaient pas été forcées. En outre, aucun objet de valeur n'avait été dérobé. Pas même les pièces de monnaie anciennes dont je faisais collection.

Rien.

Il restait donc une explication. Une explication qui, une fois de plus, bousculait mes certitudes de scientifique: quelqu'un cherchait à récupérer le livre sacré du dieu Thot, et ce quelqu'un n'était pas un simple malfaiteur. Je devais me rendre à l'évidence… Si Séti le scribe égyptien avait, grâce à la magie du livre, traversé les siècles pour protéger ce trésor inestimable, un esprit diabolique avait très bien pu faire de même pour s'en emparer! Ce génie du mal s'était probablement, lui aussi, réincarné à différentes époques sous la forme de tel prêtre corrompu, de tel vizir cupide, de tel roi grec rêvant de conquérir le monde, de tel patricien romain dévoré d'ambition ou de tel prince barbare aveuglé par ses désirs. Pour en avoir la certitude, il n'y avait qu'un moyen: poursuivre la lecture des confessions de Séti.

Pendant que je confiai à des ouvriers le soin de réparer les dégâts chez moi, je louai donc un chalet perdu en plein bois, en haut de la rivière Saint-Maurice, à des centaines de kilomètres de Montréal.

C'est là que j'entrepris la lecture du cinquième chapitre de cette fantastique histoire...

II

Au loup!

Soumis aux charmes de la fée Viviane, je dormis presque mille ans dans ce qui avait été ma demeure, au cœur de la forêt magique de Brocéliande. Un rêve sans fin. Mon logis était devenu un véritable cocon de verdure et j'y reposais comme un enfant dans le ventre de sa mère. Loin des rumeurs du monde. Bercé par la musique du vent et le chant des oiseaux. Heureux. En paix avec moi-même.

Et pendant que je dormais s'effondrèrent des empires. La terre s'engraissa sans vergogne des corps de millions d'hommes et de femmes. Viviane disparut. Mon chat Anty également. Car le Temps, souverain maître de nos destinées, affaiblit peu à peu les enchantements les plus puissants et, inexorablement, finit par anéantir tout ce qui vit.

 13

Moi seul survécus.

Tout autour de moi tomba en poussière. Des lits de nouvelles rivières se creusèrent. Des montagnes s'arrondirent pour devenir de simples collines. L'antique forêt vit dépérir ses arbres géants et, à mesure que s'effritait le sortilège dont j'avais été la victime consentante, la végétation rampante commença à envahir ma prison aux murs invisibles. Bientôt, les ronces m'enlacèrent et m'enfouirent sous un inextricable lacis de tiges garnies d'épines redoutables. Le lierre et le chèvre-feuille s'enroulèrent autour de mes membres et me revêtirent entièrement de leurs feuilles. Un chêne poussa tout près de moi. Ses racines s'élevèrent au-dessus de mon corps pour former une sorte de dôme qui acheva de m'emprisonner.

C'est alors que je revins peu à peu à la vie et me libérai de mon carcan végétal. Les premiers bruits qui me tirèrent de mon sommeil séculaire restent confus : échos de lointaines chasses ponctuées du mugissement des cors et des abois des chiens, rumeurs de combats, galopades de chevaliers en armure, cliquetis d'épées, cloches d'église sonnant le tocsin, cris de femmes, pleurs d'enfants et, parfois, appels désespérés de pauvres gens fuyant je ne savais quelle épouvantable menace :

— Elle approche ! disait une de ces voix. Elle arrive ! Elle est à nos portes !

— Que la bonne sainte Anne nous protège ! reprenaient les autres.

Jusqu'à ce qu'une nouvelle voix s'élève, porteuse d'autres mauvaises nouvelles :

— Il y a un mois, elle est entrée dans Vannes et dans Rennes. Quand elle est partie, il n'y avait plus assez de cercueils pour enterrer ceux qu'elle avait frappés.

— C'est la fin du monde ! sanglotait un tiers. Monseigneur l'évêque dit que c'est Dieu qui l'a envoyée sur terre pour nous punir de nos péchés !

Ce dont je me souviens, c'est qu'il faisait très froid et qu'il neigeait abondamment. Je n'avais que des haillons sur moi et même en battant des pieds et en serrant mes bras contre ma poitrine, je claquais des dents et j'avais l'impression que mille aiguilles piquaient ma peau bleuie par la bise.

À demi aveuglé par les flocons de neige qui valsaient autour de moi, je fouillai dans ce qui fut mon abri afin de retrouver mes livres, dont le précieux papyrus doré de Thot. Je le retrouvai enfoncé dans le tronc même du chêne, comme si ce dernier avait voulu en absorber les secrets. À l'aide d'une pierre, je dégageai le précieux rouleau et le plaçai avec mes autres manuscrits dans la besace qui ne me quittait jamais. Puis, je me hasardai à faire quelques pas dans l'épaisse couche poudreuse où j'enfonçai jusqu'aux genoux. Je crus apercevoir, entre les arbres, des ombres furtives et des yeux de braise qui m'observaient.

Je criai:

— À moi! Pour l'amour de votre Dieu, je vous en supplie, venez à mon aide!

Seuls le sifflement du vent et le craquement des branches me répondirent. Je fis encore quelques pas. Une vague forme humaine couchée sur le sol gelé attira mon attention. Du sang maculait le manteau blanc qui avait commencé à la recouvrir.

Je me penchai sur le corps qui gisait face contre terre et, rassemblant le peu de forces qui me restaient, je parvins à le retourner.

Ce que je vis m'horrifia. Le malheureux avait été égorgé et son ventre ouvert avait été vidé en partie de ses entrailles. Mais le pire était sa tête, dont le nez et les oreilles avaient été dévorés, tout comme le cuir chevelu, rongé jusqu'à l'os.

Qui avait pu commettre un crime aussi abominable?

Un long hurlement modulé me désigna le coupable. Un loup! Ou plutôt, toute une meute, si j'en jugeais par les autres hurlements qui répondirent à cet appel lugubre.

Je savais qu'en temps normal les loups n'attaquent pas l'homme. Cependant, je savais également qu'après avoir goûté de la chair humaine, ces bêtes féroces n'hésitent pas à déterrer les cadavres et à se jeter sur les enfants. C'était ce qui arrivait pendant les guerres ou encore les pandémies. Les loups «encharnés» se mettaient alors à suivre les armées et à rôder autour des villages pour se repaître des morts laissés sans sépulture. Puis, quand les cadavres venaient à manquer, ils s'enhardissaient, se cachant dans les blés pour guetter leurs proies humaines, poussant l'audace jusqu'à forcer les portes des fermes et à pénétrer nuitamment dans les cités en se faufilant dans la moindre brèche des murailles.

Bref, ma macabre découverte ne laissait présager rien de bon. Si les loups osaient chasser l'homme, c'était mauvais signe. Signe que les hommes affaiblis par un terrible fléau ne leur inspiraient plus la peur.

Par prudence, je m'armai d'un solide bâton et décidai de quitter au plus vite la forêt pour dénicher un sentier qui me mènerait au village le plus proche. À la lisière du bois, je tombai effectivement sur une route assez large, bordée de hauts talus. Deux traces de roue parallèles encore fraîches indiquaient qu'un chariot était récemment passé par là. Je décidai de le rejoindre.

La nuit tombait et la neige poussée par le vent s'accumulait rapidement, effaçant le moindre relief et risquant de me faire perdre mon chemin.

Heureusement, le chariot qui me précédait ne devait plus être très loin car, régulièrement, il me semblait distinguer, au milieu de la tempête, la lueur dansante d'une lanterne. Je pressai le pas mais, tout à coup, je ressentis une impression angoissante. L'impression d'être suivi. Je me retournai vivement. Sur la crête d'un des talus, je vis trois loups qui trottaient en file indienne, rapides et silencieux.

En m'apercevant, ils s'arrêtèrent, menaçants, le poil hérissé sur le dos, la queue levée et les babines retroussées découvrant les crocs. Je fis plusieurs moulinets avec mon bâton afin de les chasser. Seuls deux d'entre eux reculèrent en grondant. Par contre, loin de battre en retraite, le meneur de la bande, un monstre noir à l'échine roussâtre, se tapit au sol et bondit violemment sur moi, insensible au vigoureux coup de gourdin que je lui assénai sur le museau.

L'assaut fut si brutal que je tombai à la renverse, m'efforçant en vain de protéger ma gorge que cherchaient les mâchoires de la bête.

Nous roulâmes pêle-mêle dans la neige, rejoints bientôt par les deux autres loups qui en profitèrent pour me mordre les jambes et les bras en secouant frénétiquement leur tête pour mieux m'arracher des morceaux de chair.

J'étais perdu et, comme le font sans doute tous ceux qui se trouvent dans une situation désespérée, j'eus pour me défendre une réaction insensée qui dérouta mon principal agresseur : j'enfonçai mon poing dans sa gueule béante et fichai mon bras le plus loin possible. L'animal, surpris, se débattit à demi étouffé et desserra son étreinte avec un cri plaintif avant de se dégager et de prendre la fuite avec les deux autres loups, aussi déconcertés que leur chef.

Cela me laissa juste le temps de me remettre debout et de brandir de nouveau mon bâton.

Je ne me faisais cependant aucune illusion. J'avais beau lancer des hurlements sauvages et frapper à l'aveuglette, j'étais parfaitement conscient que ces prédateurs impitoyables n'abandonneraient pas si facilement le combat.

J'avais vu juste.

Se tenant à bonne distance de mon arme, ils se contentèrent de changer de tactique et commencèrent à tourner autour de moi en rétrécissant peu à peu le cercle de leur ronde mortelle, attendant que je manifeste la moindre faiblesse.

J'étais couvert de sang et le froid épuisait mes dernières forces.

Se pouvait-il que je meure ainsi après avoir traversé les siècles et triomphé de mille périls ? Pourquoi les dieux me délaissaient-ils maintenant ? Qu'avais-je fait pour encourir leur soudaine disgrâce et disparaître d'une manière aussi atroce ?

Étourdi par cette danse macabre qui me forçait sans arrêt à pivoter sur moi-même pour suivre du regard les loups qui guettaient le moment fatidique de ma mise à mort, je me sentis défaillir et tombai à genoux.

C'était vraiment la fin. L'écume à la geule, je vis le grand loup rallier ses tueurs et je lus dans ses yeux avec quelle détermination il prévoyait me saigner et me dépecer vivant.

Je fermai les paupières, résigné.

Au bord de perdre connaissance, j'entendis pourtant un formidable grognement suivi d'un bruit de mêlée ponctué de gémissements.

Puis des voix qui hurlaient :

— Allez-vous-en, sales bêtes sorties de l'enfer !

Je rouvris les yeux. Un animal énorme, dressé sur ses pattes arrière, était en train de repousser les loups. J'eus de la difficulté à croire ce que je voyais. Il s'agissait d'un ours. Un ours gigantesque portant un collier de fer. En deux coups de pattes il éventra un de mes agresseurs et en envoya un autre bouler au loin. Mais l'ours n'était pas seul. À ses côtés se trouvaient un homme et une femme. Lui était armé d'un fouet et elle agitait une torche.

Maintenant isolé, le chef de la bande continuait néanmoins à harceler l'ours jusqu'à ce que celui-ci le saisisse par le cou et le projette dans les airs. Le grand loup retomba alors lourdement, sans pour autant s'avouer vaincu. Au contraire, tournant sa rage contre moi, il chargea dans ma direction.

Sans que mon cerveau ait le temps de réfléchir, je cherchai fébrilement un moyen de me défendre. Je remis par hasard la main sur mon bâton et, au moment même où le loup me tomba dessus, je le lui enfonçai dans l'œil gauche.

Hurlant de rage et de douleur, la diabolique créature fit demi-tour et disparut en laissant derrière elle une longue trace ensanglantée.

Pendant que l'homme au fouet tentait, non sans mal, de calmer l'ours et de lui enfiler sa muselière, la jeune femme vint à mon secours.

— Sainte Marie, mère de Dieu, vous êtes blessé ? Tenez bon… Ça va aller… Appuyez-vous sur moi !

— Qui… Qui êtes-vous ? murmurai-je.

— Je m'appelle Kalia et lui, c'est mon frère, Marek. Et vous, quel est votre nom ?

— Séti.

— Vous avez eu de la chance, c'est Bero[1] qui a entendu vos appels à l'aide, ajouta-t-elle

_____
1. En langue rom, «bero» signifie «ours».

en désignant l'ours brun qui, au bout d'une chaîne, suivait docilement son maître. Je crois que nous sommes arrivés juste à temps.

— Ma besace ? Vous avez ramassé ma besace ? Et les livres qui étaient dedans, ils y sont toujours ?

— Soyez tranquille, me rassura la jeune femme, tout est à sa place dans notre voiture.

Je compris alors que mes deux bons Samaritains étaient les occupants du chariot que j'avais suivi avant l'attaque des loups. Quant à la lumière qui m'avait guidé dans la nuit, je l'avais sous les yeux : c'était le fanal qui se balançait à l'arrière du curieux véhicule de mes sauveurs, une sorte de maisonnette peinte, montée sur roues et tirée par deux chevaux[2].

L'homme et la femme m'aidèrent à grimper dans leur roulotte et, pendant qu'ils me soulevaient et m'installaient sur une des étroites couchettes qui meublaient leur logis mobile, je les dévisageai à la dérobée, cherchant à deviner de quelle origine ils pouvaient bien être.

---

2. Il s'agit d'une *vardo*, ou *verdine*, roulotte traditionnelle des bohémiens.

Le teint basané, les cheveux noirs et frisés, ils avaient tous deux un accent bizarre. Marek était grand. À son foulard de soie et aux bagues qu'il portait aux phalanges des deux mains, on aurait pu le prendre pour un noble, mais il n'en avait pas l'allure hautaine. Pas plus que sa sœur Kalia qui avait des anneaux d'or aux oreilles mais qui, malgré le froid intense, marchait pieds nus et portait une robe à volants lui découvrant les épaules.

Kalia devina mon étonnement et alla au devant de mes questions en m'expliquant d'un ton rieur :

— Nous sommes des Roms[3].

— Des Roms ?

— Oui, des gens du voyage, si vous préférez. À vrai dire, nous ne savons pas d'où nous venons et nous ignorons où nous allons. Marek dresse les ours et moi, je danse. Les gens ne nous aiment pas beaucoup. Ils nous traitent de bohémiens, de Tartares ou de voleurs de poules. Certains prétendent que nos ancêtres ont été chassés d'Égypte et condamnés à errer sur les routes pour avoir refusé le gîte, le soir de Noël, à Marie, à Joseph

---

3. Peuple originaire de l'Inde qui se répandit dans toute l'Europe et adopta un mode de vie itinérant.

et au Petit Jésus. Moi, je préfère dire, comme notre défunt père, que notre demeure est le vaste monde et notre toit l'océan étoilé de l'univers.

Elle se tut un moment et, de ses doigts fins, écarta mes loques sanglantes.

— Laissez-moi voir vos blessures!

À la vue des morsures et des profondes lacérations que j'avais subies un peu partout, elle secoua la tête, l'air inquiet.

— Ce n'est pas très beau… La peau est enflée…

Son frère, à son tour, vint m'examiner.

— Pourvu qu'un de ces démons n'ait pas été enragé. Il va falloir cautériser les lésions. Je vais allumer le brasero.

Il réapparut un quart d'heure plus tard avec à la main un coutelas dont la lame avait été chauffée à blanc.

Il me prévint sans ménagement.

— Il n'y a pas d'autre solution. Ça va faire très mal. Serrez les dents!

Et, sans plus attendre, il appliqua le métal brûlant sur une de mes plaies…

Ma peau se mit à grésiller et une douleur atroce crispa tous les muscles de mon corps. Je poussai un cri déchirant.

Il retira le couteau fumant et, sans même me laisser reprendre mon souffle, il le plaqua de nouveau à un autre endroit, ravivant de manière plus aiguë encore l'insupportable souffrance qui me faisait me tordre sur mon lit, en dépit des efforts de Kalia pour m'immobiliser.

Heureusement pour moi, à la troisième application du fer rouge, je perdis conscience.

Pendant plusieurs jours, je flottai dans un état incertain aux confins de la vie et aux frontières de la mort. J'avais de la fièvre. Je suais. Incapable d'avaler la moindre goutte d'eau sans éprouver d'affreux spasmes du larynx, je mourais de soif. Puis, mon mal empira au point où il fallut m'attacher, car toute exposition à la lumière provoquait chez moi des tremblements et m'amenait à vociférer comme un fou furieux. Au cours de certaines de ces crises, l'écume à la bouche, je m'écorchais au sang avec mes propres ongles avant de plonger en plein délire. Du moins, c'est ce que Kalia me raconta plus tard.

Selon elle, j'avais alors prétendu être vieux de plus de deux mille ans et avoir reçu des dieux le soin de garder un livre sacré que convoitaient les puissances du mal. J'avais aussi affirmé être le protégé d'une déesse qui prenait la forme d'un chat. J'avais juré avoir vécu plusieurs vies et poursuivi de siècle en siècle un impossible amour pour une princesse d'Égypte dont je n'avais cessé de répéter le prénom : Néfer ! Néfer !

III

Le signe

Cela dura plus d'un mois et lorsque, enfin guéri, je recouvrai mes esprits, je me rendis compte que je n'étais plus à l'orée de la forêt de Brocéliande, mais à des centaines de lieues de là.

Les bohémiens qui m'avaient recueilli avaient en effet repris la route. Marek ouvrait la marche en compagnie de son ours. Kalia, les guides à la main, conduisait la roulotte.

— Vous allez mieux ! se réjouit-elle, en me voyant me lever. Vous devriez vous habiller. Regardez dans le coffre. Il y a des houseaux, des braies et une cotte qui ont appartenu à notre père. Ils devraient vous faire.

Une fois changé, je pris place à côté d'elle sur la banquette avant.

Kalia arrêta son attelage et remplit une écuelle d'un liquide blanchâtre avant de me la tendre :

— Tenez, buvez ! Je l'ai préparé pour vous.

— C'est quoi ?

— Du lait de chèvre auquel j'ai ajouté une gousse d'ail et de la fiente de poule. Un bon remède pour chasser définitivement le mal.

Je lui obéis avec une grimace de dégoût.

Néanmoins, quelques heures plus tard, je retrouvai effectivement toute ma vigueur et m'informai du pays que nous traversions.

— Le Vexin, me répondit Kalia. Une contrée de bonnes terres grasses. Les gens d'ici sont riches. Les vilains[4] mènent des trains de bourgeois et les bourgeois sont vêtus de brocart comme les ducs. Ils aiment la fête et, avec la période du carnaval qui arrive, espérance qu'ils délieront plus facilement les cordons de leurs bourses lorsque nous leur donnerons spectacle.

La voiture n'avançait pas très vite et les chevaux paraissaient nerveux. Même l'ours se dressait régulièrement pour humer l'air en grognant.

---

4. Les paysans.

Nous roulions au milieu d'une grande plaine où s'érigeaient des fermes fortifiées dont les portes étaient closes.

Kalia, elle aussi, semblait préoccupée.

— Regardez, me fit-elle remarquer. Il n'y a personne aux champs et les maisons ont l'air désertées.

Elle avait raison et je notai, moi aussi, que les labours n'avaient pas été faits et que le ciel était envahi par des nuées de corbeaux.

Un peu plus tard, nous traversâmes un gros bourg dont j'ai oublié le nom. Même désolation. Personne au lavoir. Personne sous la halle du marché. Personne dans l'église.

Marek hocha la tête.

— Les Anglais et la truandaille[5] qui les accompagne ont dû passer par là et chasser l'habitant.

Voyant que je ne comprenais pas son allusion, le dompteur d'ours s'exclama:

— Voyons! Vous devez bien savoir que la guerre a repris entre Édouard et le roi Philippe. Dix ans qu'ils se disputent la couronne et mettent le royaume en grand triboil[6].

---

5. Bandits, mercenaires, pillards.
6. Tourment, désordre.

Ils en ont déjà décousu pas loin d'ici[7] et c'est l'Anglais qui a gagné. Maintenant, les caisses de l'État sont vides et le roi n'arrête pas d'inventer de nouveaux impôts et de tripoter la monnaie[8] pour les remplir.

Kalia l'interrompit.

— Tout cela n'explique pas que céans, il ne reste plus âme qui vive.

— Nous ne sommes plus très loin de Pontoise. Peut-être que les gens se sont réfugiés là-bas. La cité a de hautes murailles et un puissant château.

— Plaise à Dieu que tu aies raison…

Comme il était trop tard pour continuer, Marek décida que nous camperions sur la grand place du bourg déserté.

D'habitude, deux ou trois tours de dressage mettant en scène Bero et quelques pas de danse de Kalia au son du tambour de basque attiraient les curieux et assuraient à mes compagnons de voyage une recette suffisante

---

7. En 1346, les troupes d'Édouard III écrasèrent à Crécy celles de Philippe VI de Valois.
8. Le roi Philippe, frère de Philippe le Bel, changea vingt-quatre fois la teneur en or de l'écu, si bien que la monnaie à Paris perdit les neuf dixièmes de sa valeur. C'est à cette époque que fut introduit un des impôts les plus impopulaires : la gabelle.

pour acheter de quoi manger. Cette fois, faute d'argent et de spectateurs, il allait falloir se débrouiller avec les moyens du bord.

Kalia suggéra que nous allions visiter les maisons abandonnées, histoire de voir si nous n'y trouverions pas un quignon de pain ou un bout de lard.

Je partis de mon côté et les deux bohémiens du leur. La ruelle étroite où je m'engageai était bordée de résidences à colombages qui reposaient sur de lourds piliers dissimulant des boutiques d'artisans dont je pouvais distinguer les enseignes qui grinçaient dans le vide. Les volets des échoppes étaient fermés. Les huis, tous verrouillés. Quelque peu découragé, je m'apprêtais à m'en retourner quand, tout à coup, j'entendis des miaulements désespérés.

Ils provenaient d'un modeste oratoire qui, lui, était demeuré ouvert aux quatre vents. Je pénétrai à l'intérieur de la chapelle. Les bancs gisaient au sol, renversés, comme si on avait fui précipitamment les lieux. Un chat maigre et affamé vint se frotter à mes jambes. Je le pris dans mes bras et poursuivis mon exploration de l'endroit. Au fond, devant une fresque inachevée, se trouvait un échafaudage. Mon attention fut d'abord retenue par une inscription barbouillée sur le mur à la peinture rouge. Trois mots latins, *cito longe tarde*, que je traduisis d'abord par «vite, loin et longtemps» mais qui, réflexion faite, devaient plutôt signifier: «Pars le plus tôt possible, va le plus loin que tu peux et reviens le plus tard que tu pourras.»

Comment interpréter cet avertissement? De quel danger avait-on voulu prévenir le visiteur?

Je levai alors la tête pour admirer l'œuvre peinte autour du chœur. La peinture qui ornait le plâtre encore frais représentait un incroyable cortège dansant où figuraient des personnages de toutes les classes sociales: simples manants, riches marchands, prostituées, évêques et nobles des deux sexes. Mais le plus frappant était que tous ces danseurs exprimaient une terreur indicible. Car chacun d'entre eux tenait la main d'un horrible squelette ricaneur qui lui, au contraire, avait l'air d'éprouver un vif plaisir à entraîner tout ce beau monde vers on ne savait quelle destination infernale. Plusieurs de ces squelettes jouaient de la musique. La plupart, totalement nus, adoptaient des poses grotesques. D'autres encore, revêtus partiellement de leurs linceuls et exhibant leurs chairs putrides, avaient les orbites remplies de vers et le thorax grouillant de menus rongeurs.

En vérité, je ne pouvais détacher mon regard de cette vision d'épouvante. Qu'est-ce qui avait bien pu pousser un artiste à peindre une si atroce allégorie de la Mort? Et comment l'Église avait-elle pu tolérer pareille illustration du désespoir dans un lieu de prière?

Je n'allais pas tarder à regretter de m'être posé la question car, dans l'instant qui suivit, tout bascula dans l'horreur.

Cela commença par un léger couinement précédant l'apparition d'un gros rat noir qui se faufila entre mes pieds à toute vitesse.

Le chat que j'avais recueilli se débattit entre mes bras, cherchant lui aussi à s'échapper. Je le caressai doucement pour le calmer en lui trouvant un nom qui me vint tout seul aux lèvres.

— Ne crains rien Anty, ce n'est qu'un rat... Un simple rat!

Mais, la seconde suivante parut un deuxième rongeur qui émergea d'un trou du plancher. Puis, un troisième qui, affolé, trotta en tous sens sur l'autel avant de se précipiter à l'extérieur...

Maintenant, il en arrivait de partout par familles entières. Une masse grise et frétillante

35

remplissait la chapelle des cris aigus des centaines d'individus qui la composaient. Il y avait là un inextricable mélange de queues, de pattes et de museaux qui se bousculaient, se chevauchaient et s'entredéchiraient de leurs dents jaunes.

Je sortis en courant. À mon grand effroi, les maisons alentour vomissaient elles aussi des quantités de rats comme pris de folie. Flot ininterrompu qui allait alimenter une véritable armée en marche, laquelle déferlait de toutes parts tel un torrent s'écoulant vers les portes de la cité.

Craignant d'être mordu, je montai sur une borne de grès destinée à protéger les passants des essieux des charrettes.

Je me demandais comment j'allais me tirer de cette fâcheuse position lorsque Marek vint à ma rescousse en me criant :

— Ne restez pas là ! Prenez l'autre rue, il y en a moins. Dépêchez-vous. Il ne faut pas traîner ici… Il y a de la diablerie là-dessous !

Je suivis son conseil et, après m'être difficilement frayé un chemin dans cette marée animale qui s'écartait à peine sous mes coups de pied, je parvins à rejoindre la roulotte stationnée sur la place de l'église.

Marek m'avait précédé et me tendit la main pour m'aider à monter. Puis, il agita les guides en encourageant les chevaux qui montraient des signes évidents de panique:

— Allez! Allez! Marche!

La voiture s'ébranla, laissant derrière elle, sous ses roues, une bouillie de rats écrasés.

— Où est Kalia? m'inquiétai-je.

— Nous la prendrons en bas du cimetière. C'est par là qu'elle est allée.

Marek fit claquer son fouet pour inciter les chevaux à forcer l'allure.

Notre compagne se trouvait bien à l'endroit prévu. En plein milieu de la rue, avec à la main une poule morte prise sans doute dans quelque poulailler. Elle ne fit aucun geste à notre vue. Elle semblait incapable de quitter des yeux une chaumière délabrée dont les ouvertures avaient été condamnées par des planches.

L'odeur qui se dégageait de cette demeure était insoutenable et je remarquai qu'à l'entrée du cimetière tout proche, de nombreux cercueils étaient entassés. Certains même, sans couvercle, laissaient entrevoir des corps…

Marek vit que sa sœur ne bougeait toujours pas et qu'elle risquait d'être piétinée par les chevaux. Il s'impatienta:

— Prends garde ! Monte ! Qu'est-ce que tu attends ?

La bohémienne parut sortir soudainement d'un mauvais rêve. Elle grimpa précipitamment dans la roulotte. Alors, elle tourna la tête vers nous et montra du doigt la masure qui avait tant retenu son attention.

— Regardez !

Marek figea à son tour, le visage envahi par une pâleur mortelle.

Sur la porte était tracé une sorte de chiffre 4 à l'envers.

Je vis Kalia porter la main à sa bouche et faire de suite trois signes de croix rapides comme pour se protéger d'un danger imminent.

Je hasardai une question :

— Que veut dire cette marque ?

Kalia murmura :

— C'est le signe de la mort noire[9].

Ce jour-là, lorsque rejoints par la nuit nous nous arrêtâmes le plus loin possible de ce bourg maudit, nous entendîmes des loups

9. On marquait de ce signe les maisons contaminées par la peste. Le quatre inversé serait simplement dû au fait que lorsqu'on trace un signe de croix avec un pinceau sans lever la main, on dessine forcément cette figure.

hurler et j'eus beaucoup de difficulté à trouver le sommeil.

Le chat que j'avais sauvé vint se coucher à mes côtés. Marek, lui, dormait. Tout à coup, j'entendis Kalia se lever sans faire de bruit. Sur la pointe des pieds, elle s'approcha de ma couchette, prit Anty contre elle et, comme si ce fut la chose la plus naturelle du monde, se glissa sous la fourrure qui me servait de couverture.

Dans le lointain, les loups hurlèrent de nouveau…

IV

La mort noire

Il faisait beau et la roulotte avançait sans heurts entre une double haie de pommiers en fleurs.

Le cauchemar des jours précédents était presque oublié. La nature humaine est ainsi faite. Dès qu'un danger est provisoirement écarté, nous nous remettons à croire que tout est rentré dans l'ordre et que le bonheur est enfin possible. Cette idée est d'autant plus séduisante pour les voyageurs qui ont l'impression de laisser leurs soucis sur les chemins et de s'éloigner toujours un peu plus des calamités qu'ils tentent de fuir.

Ainsi, Kalia somnolait tranquillement, la tête posée sur mon épaule.

Je pense que j'étais déjà amoureux d'elle.

Subitement, elle se dressa et, me tutoyant pour la première fois, me dit:

— Montre-moi ta main. La gauche.

Comme je semblais réticent à lui obéir, elle s'empara de ma paume et se mit à me révéler ce qu'elle croyait y lire:

— Tu acquerras gloire et fortune… Tu as vécu un grand amour et tu l'as perdu. Mais tu ne désespères pas de le retrouver à travers d'autres femmes…

À cet instant, elle me jeta un coup d'œil furtif et je la vis rougir. Puis son index reprit sa course légère au creux de ma main, essayant de démêler l'écheveau compliqué de mon existence.

Troublée, elle s'arrêta de nouveau et fixa ses prunelles noires sur moi, comme si elle cherchait au fond de mes propres yeux l'explication d'un mystère qui visiblement la dépassait.

— Je ne comprends pas. C'est impossible: ta ligne de vie n'a pas de fin et ta ligne de santé ne la croise jamais.

Voyant son air effaré, je ne pus m'empêcher de rire.

— Et ça veut dire quoi?

— Cela signifie que tu ne vieillis pas, qu'aucune maladie ne viendra à bout de toi et que nul ne peut prédire que tu mourras un jour !

Sur ces paroles stupéfiantes de clairvoyance, elle replia un à un mes doigts et me couvrit le poing de sa propre main comme pour cacher le secret qu'elle venait de découvrir.

Heureusement, Marek dissipa bientôt ce malaise en annonçant :

— Nous arrivons !

La ville de Pontoise, située à huit lieues de Paris au confluent de l'Oise et de la Viosne, entourée de coteaux couverts de vignes et nichée au pied d'un éperon rocheux sur lequel s'élevait son château, était une des cités les plus prospères du royaume[10].

Ce furent d'abord le donjon royal et le clocher de la cathédrale Saint-Maclou[11] que j'aperçus. Puis s'imposèrent à nous les puissantes murailles de la cité flanquées de tours rondes. Un pont fortifié enjambait la rivière principale du côté sud, mais aucun homme

---

10. La ville, au XIVe, siècle comptait 10 000 habitants ou 2150 feux, ou habitations, ce qui en faisait une des plus grandes villes de France.
11. Cathédrale de Pontoise. Église gothique inspirée de l'abbaye de Saint-Denis, commencée en 1140 et achevée au XVIe siècle.

de garde n'était à son poste, si bien que notre attelage le franchit sans être fouillé ni soumis aux tracasseries habituelles des soldats.

Marek s'en félicita.

— Pour une fois, je ne serai pas obligé, en guise de péage, de les amuser en demandant à ce pauvre Bero de tortiller son gros derrière et de jongler avec son museau.

Arrivé au milieu de l'Oise, je vis quelque chose qui flottait sur l'eau. C'était un cadavre au ventre gonflé qui descendait au fil du courant. Je n'eus pas le temps de le montrer à mes compagnons, car nous venions de franchir la herse d'entrée de la vieille ville.

À entendre les cris et les grincements de charrois qui nous parvenaient, il ne faisait pas de doute qu'une intense activité régnait à l'intérieur des murs. De prime abord, ces rumeurs me réconfortèrent. Pourtant, à certains détails insolites, je compris bien vite qu'ici également un drame terrible était en train de se jouer.

Pourquoi, par exemple, toutes les cloches des églises, du simple carillon des chapelles au gros bourdon de la cathédrale, sonnaient-elles sans arrêt ? Et où étaient les habituels encombrements de mules chargées de paniers, les marchands ambulants avec leurs plateaux sur la tête, les portefaix ployant sous leurs fardeaux de bûches et de sacs de charbon? Pourquoi la ville entière était-elle envahie de fumée suffocante? Qui avait allumé ces feux à chaque carrefour et pour quelle raison croisait-on tant de moines et de prêtres qui défilaient en marmonnant des prières et en balançant des cassolettes d'encens au bout de leurs chaînes?

Kalia et Marek, qui avaient une meilleure connaissance des us et coutumes de la cité, me rassurèrent. Les processions religieuses étaient monnaie courante et il n'était pas rare qu'à l'approche de l'été, on ordonnât des fumigations pour contrer les odeurs de fumier, les miasmes dégagés par la tripaille des bouchers et le relent des eaux sales jetées au caniveau.

Toutefois, mes compagnons commencèrent à s'inquiéter quand, surgi de nulle part, un clerc vêtu d'un long manteau noir à capuchon se planta devant nous en agitant frénétiquement une clochette et en braillant:

— Priez pour l'âme de messire Jean de Courcy! Priez aussi pour celle de dame Isabeau, son épouse! Priez pour les âmes de tous ceux que la mort a fauchés aujourd'hui, car le Jugement dernier est proche ! Repentez-vous ! Vous n'entendez pas les anges sonner de leurs trompettes ?

Marek, fâché, le houspilla :

— Écarte-toi, espèce de fol ! Veux-tu que nous t'écrasions ?

Hélas, bientôt le doute devint certitude. Il fallut bien se rendre à l'évidence. Le fléau auquel nous avions cru échapper nous avait rattrapés. La peste non seulement était bel et bien installée dans la ville, mais elle y faisait rage, frappant aussi bien les riches que les menus[12].

Par prudence, jugeant qu'il valait mieux ne pas trop attirer l'attention, Marek fit monter l'ours dans la roulotte et le musela. À mesure que nous approchions du centre de la cité, devant chaque maison, nous assistions maintenant au même spectacle à vous glacer le sang.

Sur la rue, on ramassait à pleins tombereaux les cadavres nus qu'on venait de jeter par les fenêtres et on les transportait jusqu'à de grandes fosses au fond desquelles ils s'entassaient sur plusieurs couches après avoir été copieusement arrosés de vin et couverts

---

12. Habitants pauvres des villes.

de chaux vive. Plus loin, au fond d'une cour, c'était des malades qui suppliaient qu'on les épargne alors qu'on murait leurs demeures avant d'y bouter le feu[13]. Ailleurs, on pelletait des rats morts par milliers et on brûlait des vêtements souillés.

Parfois, nous rencontrions des curés et, plus rarement, des médecins. Ces derniers, en robes violettes et rouges, protégés par un masque en forme de tête d'oiseau à long bec, parcouraient les différents quartiers. Ils étaient escortés par des gardes armés qui repoussaient, à coups de bâton, les pestiférés osant les aborder. Car ces scélérats n'acceptaient de soigner que les bien nantis à qui ils prescrivaient des remèdes aussi chers qu'inutiles, comme de la poudre d'or, de la corne de cerf, ou encore des émeraudes et des perles pilées.

Nous fûmes bloqués ainsi plus de deux jours à Pontoise. Rien n'aurait pu me préparer à tout ce dont j'y fus témoin.

Je vis des chiens errants dévorer des bébés abandonnés. Je vis également de pauvres fous couronnés de fleurs qui chantaient et dansaient en rond, persuadés que s'ils affichaient bonheur et joie de vivre, la peste n'oserait pas

---

13. Mettre le feu.

s'attaquer à eux. J'aperçus des insensés s'enfermer dans les latrines, persuadés que l'odeur insupportable s'en échappant rebuterait la Mort. Ici, je rencontrai des croyants qui, nuit et jour, priaient la Vierge miséricordieuse de les prendre sous sa protection. Là, je croisai, au contraire, des débauchés bien décidés à profiter au maximum du temps qui leur restait à vivre en se saoulant dans les tavernes et en cherchant la compagnie de prostituées.

Bref, au bout de ces quarante-huit heures de cauchemar, je pensais avoir touché le fond de l'horreur. À tort.

Dans le domaine de la démence et de la cruauté, les êtres humains, surtout quand ils sont poussés au désespoir, font preuve de prodiges d'imagination.

Kalia et Marek l'avaient compris.

— Il faut absolument sortir de cet enfer, me dit Marek, mais il est impossible de rebrousser chemin. Nous sommes coincés. Essayons de passer par la porte nord et, de là, nous rejoindrons la route de Beauvais…

Marek nous tendit des chiffons imbibés de vinaigre que nous pressâmes sur nos bouches, puis il fouetta les chevaux et s'efforça de trouver une issue à travers le dédale des rues.

Malheureusement, elles nous ramenèrent toutes à la cathédrale et à la place du Grand-Martroy où, à notre surprise, était assemblée une foule considérable. Deux sergents à cheval[14] nous barrèrent le passage et nous obligèrent à descendre de voiture.

— Que se passe-t-il ? questionna Kalia.

Les deux soldats nous dévisagèrent d'un air soupçonneux mais, pressés de toutes parts par des hordes de citadins qui descendaient eux aussi vers la place, ils ne purent ni nous répondre ni nous interroger. Marek tenta alors de faire tourner notre attelage dans une ruelle transversale. En vain. Bref, contre notre volonté, nous nous retrouvâmes devant Saint-Maclou, forcés d'assister à l'étrange cérémonie qui s'y déroulait.

Autour de la vaste place, encouragés par les prières et les lamentations de centaines de fidèles, défilaient une douzaine de pénitents portant des cierges à la main et des cordes au cou. Ils marchaient lentement, au rythme des cantiques qu'ils chantaient. Cependant, ce n'était pas vraiment eux que le petit peuple était venu acclamer. Ceux avec qui la foule

---

14. Les sergents à pied ou à cheval étaient l'équivalent de nos policiers. Ils formaient les troupes du guet commandées par un chevalier.

voulait communier au milieu de gémissements et de cris hystériques fermaient le cortège.

Nus jusqu'à la taille et coiffés de bonnets ornés de croix rouges, ils avançaient en ligne avec au poing un fouet à trois lanières dont les nœuds étaient garnis de pointes métalliques coupantes. Ils chantaient comme les autres, mais ils se jetaient au sol tous les trois pas, bras étendus. Puis le dernier du groupe se relevait et fouettait de toutes ses forces celui qui le précédait, lequel, à son tour, se redressait et cinglait jusqu'au sang le dos de celui qui était couché devant lui.

La scène était fascinante et la réaction de l'assistance plus étonnante encore. Car ce déchaînement de violence, loin de susciter la pitié ou la réprobation, engendrait au contraire chez la populace une sorte de ferveur malsaine. Des femmes pleuraient, s'arrachaient les cheveux et déchiraient leurs vêtements pour se précipiter vers les martyrs et leur essuyer le visage comme s'ils étaient le Christ en personne.

Kalia, serrée contre moi, frissonna.

Je lui demandai de quoi elle avait si peur.

— Ces gens sont dangereux, me répondit-elle. Ce sont des illuminés !

— Oui, des fanatiques, ajouta Marek. Nous avons déjà eu affaire à eux. Ils viennent d'Allemagne et, partout où ils passent, ils sèment le désordre en appelant la population à expier ses fautes. J'ai bien peur qu'ici également ça finisse par tourner mal.

Kalia et son frère avaient vu juste.

On aurait dit que plus le sang giclait des blessures de ces exaltés, plus les spectateurs cherchaient eux aussi à se mortifier et à exorciser leur peur en désignant d'éventuels coupables à sacrifier au céleste courroux.

— C'est la faute des Juifs! lança un gros bourgeois rouge de colère.

— Il a raison, reprit une autre voix. Ils empoisonnent les puits!

— Oui, ce sont eux qui ont attiré le malheur sur nos têtes. Leurs ancêtres ont fait mourir notre Seigneur Jésus-Christ. Ils ont commerce avec le Diable.

— Ils volent les enfants!

— À Pâques, ils les saignent pour mouiller la pâte dont ils font leur pain.

— À mort! À mort! vociféra la foule. Allons les chercher!

Il y eut alors une bousculade qui força les flagellants à se retirer pendant que des enragés se mettaient en chasse à travers la ville. D'autres groupes se formèrent. Certains revinrent bientôt les bras chargés de fagots pendant que d'autres dressaient des poteaux au centre de la place. Puis, ceux qui étaient partis traquer les Juifs réapparurent, traînant cinq ou six pauvres bougres terrorisés: des israélites reconnaissables à leurs bonnets pointus et aux rouelles jaunes et rouges cousues sur leurs robes.

L'un d'eux, un vieillard à barbe blanche taillée en pointe, me frôla de si près que nos regards se croisèrent. Je baissai les yeux. Soudainement, une matrone en furie le décoiffa et tenta de le déshabiller en beuglant: «Montre-nous les cornes et la queue que tu caches, démon!» J'éprouvai un tel sentiment de honte que j'eus envie de vomir.

Dix minutes plus tard, le malheureux était déjà hissé sur le bûcher préparé pour lui et les huées des Pontoisiens couvrirent son agonie, ainsi que celle de ses coreligionnaires.

Combien de temps s'était écoulé depuis que j'avais moi-même affronté l'hystérie sanguinaire du peuple dans les arènes de Pompéi? Au moins quatorze siècles et rien n'avait changé! La même folie. La même haine. J'étais effaré. Kalia aussi. Dès que les clameurs faiblirent, en même temps que les cris de souffrance des suppliciés, elle me conta d'une voix tremblante qu'elle avait assisté à un massacre semblable à Cologne.

— Ils ne se sont pas contentés de Juifs. Ils ont également brûlé vifs des lépreux et, à Ypres, ils s'en sont pris aux chats qu'ils ont jetés à pleines pochetées du haut du beffroi en disant que ces pauvres bêtes étaient en fait des sorciers et des sorcières déguisés.

Marek intervint :

— C'est pour cela que je vous le redis : il faut déguerpir, et vite ! Si ces détraqués remarquent que nous ne sommes pas d'ici, c'est à nous qu'ils vont s'en prendre. Je vais dételer la roulotte. Nous la laisserons sur place. À dos de cheval, nous aurons une meilleure chance de nous en tirer.

— Et Bero ? s'enquit Kalia.

— Je vais le sortir de la voiture. Je lui enlèverai sa muselière et son collier. Un ours, ça court vite. Il nous suivra et, crois-moi, gare à celui qui tentera de l'arrêter !

Et c'est ainsi que nous quittâmes au grand galop la ville de Pontoise avec en tête un ours énorme et, juste derrière, trois cavaliers hurlant à pleins poumons montés sur deux chevaux. Sur le cheval de tête, un Égyptien portant une lourde besace et, en croupe, une jolie bohémienne serrant un chat contre elle. Sur l'autre monture, un bohémien jouant du fouet pour écarter la foule. Et tout autour de nous, des imprudents lançant des pierres et s'écriant, bras au ciel :

— Dieu soit loué ! Merci bonne Sainte Vierge ! Le Diable et sa suite s'enfuient de notre ville ! Nous sommes sauvés !

V

Raoul le diable

Troublés, mais ivres de joie d'être encore vivants, nous chevauchâmes jusqu'au soir, traversant à bride abattue Auvers, Parmain, Boran et la seigneurie de Précy. Mais, d'un coup d'aile, la peste nous avait devancés, si bien que nous dûmes coucher à la belle étoile pour remonter en selle le lendemain et gagner avant la nuit une bourgade de trois cents feux que le fléau semblait avoir épargnée: Saint-Leu d'Esserent, situé sur les terres de Raoul de Clermont de Nesle, seigneur de haut lignage et neveu du maréchal de Champagne.

Saint-Leu se trouvait un peu à l'écart de la route de Picardie, on y avait donc entendu quelque peu parler de la Grand-Mort[15] qui

---

15. La Grand-Mort, ou la Grande Mortalité: autres noms de la peste.

décimait les paroisses alentour. Néanmoins, on gardait confiance. À ce jour, la terrible maladie n'était venue frapper à aucune porte. Miracle qu'on attribuait à la présence, dans l'église, des reliques de saint Sébastien dont chaque année on promenait, jusqu'aux limites du village, la statue dorée percée de flèches[16].

Peu habitués à voir des étrangers, colporteurs, voyageurs ou simples bateleurs, les villageois nous accueillirent avec méfiance, sinon avec hostilité. Lorsque Kalia demanda à une femme qui filait sur le seuil de sa maison si nous pouvions faire boire nos chevaux dans la mare voisine, celle-ci se leva et rentra promptement chez elle en prenant soin de fermer ses volets.

Seuls les enfants, piqués par la curiosité, firent bientôt cercle autour de nous. Ce fut une fillette blonde en sabots qui nous aborda la première et me dit en désignant mon chat du doigt :

— Il est à toi, le minet ? Il est beau… J'en avais un, moi aussi, mais il est mort. Je peux le caresser ?

---

16. Saint Sébastien fut d'abord le saint protecteur de la peste avant d'être détrôné par saint Roch (1340-1379) qui fut lui-même atteint de la maladie après avoir soigné les pestiférés de Rome.

Enhardis, les autres gamins ne tardèrent pas à nous bombarder également de questions. Les garçons s'intéressaient surtout à Bero, que Marek faisait danser pour eux. Leur émerveillement était plaisant à voir, mais il ne dura pas car, avec la soudaineté d'une volée de moineaux effrayés, toute cette joyeuse marmaille se dispersa à la vue de chasseurs à cheval qui approchaient, précédés par une meute de lévriers et de brachets[17].

Les chiens furent bientôt sur nous et plusieurs d'entre eux harcelèrent Bero jusqu'à ce que leur maître les calme et fonde sur nous en criant :

— Place ! Place, les vilains ! Libérez la voie, vermines !

Coiffé d'un chaperon écarlate et revêtu d'un riche pourpoint, l'œil gauche dissimulé par un bandeau noir, cet homme était nul autre que Raoul de Clermont, le seigneur de l'endroit qui revenait de la chasse au sanglier avec sa suite et son armée de veneurs, de rabatteurs et de valets de chiens.

Ce brouhaha finit bien sûr par donner l'alarme, si bien que plusieurs serfs qui

---

17. Chiens de chasse, braques.

tondaient les moutons et plusieurs carriers qui travaillaient non loin de là accoururent, armés de leurs forces et de leurs marteaux.

La chasse était déjà loin et ils crurent que nous étions responsables de tout ce tapage. Ils nous entourèrent, menaçants, jusqu'à ce que l'un d'eux rompe le silence et nous avertisse dans son patois rugueux :

— Nous n'avons que faire d'étranges[18] cheu nous. Allez-vous-en ou il vous en cuira !

Ils nous auraient sans doute fait un mauvais parti si la petite Marion n'était intervenue avec la candeur des enfants, en tirant sur la blouse de son père :

— Papa, laisse-les rester. Je veux encore voir l'ours danser et flatter le chat.

Le père, un géant qui dominait les autres d'au moins deux têtes, caressa les cheveux de la fillette et se tourna vers ses compagnons :

— Ces gens, à ce que je vois, viennent de loin. Ils sont fourbus et me semblent être de braves personnes. C'est notre devoir de bons chrétiens de leur offrir le gîte et le couvert.

L'homme avait visiblement beaucoup d'ascendant sur les siens car les paysans, après

---

18. Étrangers.

avoir échangé quelques mots à voix basse, approuvèrent en hochant la tête.

Notre hôte s'appelait Jacques Bonhomme : un nom prédestiné. Veuf, il élevait seul sa fille.

Nous ne voulions pas abuser de sa générosité et notre intention était de repartir dès le jour suivant.

L'avenir en décida autrement.

Comme toutes les manses de serfs, l'humble maison de Jacques, couverte de chaume avec des murs de torchis et de lattis de bois entrelacés, ne disposait que d'une pièce pauvrement meublée avec entre autres un grand lit collé sur le foyer où flambait un feu de sarments et de bouses de vache séchées. Il nous invita à sa table et nous offrit un morceau de fromage de chèvre et une poignée de noisettes pendant que Marion remplissait nos écuelles d'une soupe épaisse de farine et de lait.

Il nous demanda d'où nous venions et quelles étaient les dernières nouvelles des pays que nous avions traversés. De son côté, il se mit à nous parler des misères du temps et de la grande colère des rustiques[19] :

— Nobles et barons n'ont cure de nous. Pour les seigneurs, nous ne sommes que des jean-foutre et des jean-fesse, taillables et corvéables à merci[20]. Le nôtre, sire Raoul, ne nous laisse jamais en repos : empierrer les chemins, curer les fossés, creuser les pièces d'eau, réparer son château, charrier le fumier, fournir chapons et porcs pour ses banquets, faire le guet, battre l'eau des douves à coups de bâton pour faire taire les grenouilles qui dérangent son sommeil. Tout est bon pour nous tourmenter. Et c'est sans compter les impôts dont il nous écrase : le cens[21], le champart[22], la taxe sur le sel, la taille seigneuriale, les redevances à verser pour avoir droit de moudre notre grain à son moulin ou d'utiliser son pressoir. Autrefois, au moins,

---

19. Surnom des paysans.
20. Soumis aux impôts et aux corvées selon la fantaisie des seigneurs.
21. Impôt sur la terre perçu annuellement.
22. Impôt en nature correspondant à une part de la récolte (généralement un douzième). Ce loyer pouvait équivaloir à un cochon et dix gerbes de blé par an, ou à une taxe de dix sous par bœuf et quatre par brebis.

tous ces nobles nous protégeaient et se battaient pour la plus grande gloire du royaume. Mais, aujourd'hui, que font-ils ? Ils paradent à la cour dans des habits de soie et de velours ou se payent avec nos écus de belles armures de tournoi. Ils nous saignent pour financer le mariage de leur fils, l'adoubement de leur neveu ou l'entrée en religion de leur fille. Pendant ce temps-là, l'Anglais et les brigands se promènent et pillent le pays comme s'ils étaient chez eux. Les terres, couvertes de chardons et de ronces, retournent en friche…

Jacques Bonhomme se tut le temps de nous servir un gobelet de cervoise.

Kalia, qui l'avait écouté en silence, baissa la tête :

— Oui, vous avez bien raison, maître Jacques, c'est une triste époque. Mais si cela peut vous consoler, sachez que c'est encore pire ailleurs. Plus au sud, nous avons rencontré des petites gens qui n'avaient plus rien à manger et faisaient du pain à l'aide de fougères et d'orties.

— Elle dit vrai, ajouta Marek, dans bien des châtellenies, on ne sème plus. Les pères tuent leurs enfants plutôt que de les voir crever de faim et, en Limousin, nous avons même vu des pauvres affamés et poussés par le désespoir qui décrochaient les pendus pour les dévorer.

À mesure que la veillée avançait, le peu de lumière filtrant à travers le parchemin huilé[23] de la fenêtre avait laissé place à une douce pénombre qui incitait à parler plus bas, d''autant plus que Marion avait été mise au lit.

Kalia, pour se protéger du froid, s'était installée sur un des bancs situés de chaque côté de l'âtre, à l'intérieur même de la cheminée. Elle s'y endormit. Marek s'excusa. Il devait sortir pour brosser les chevaux et nourrir Bero des restes de table.

Jacques Bonhomme se leva lui-même pour allumer une modeste lampe de pierre.

Quand il revint s'asseoir, il ne reprit pas tout de suite la parole, comme s'il éprouvait une soudaine inquiétude et guettait, l'oreille tendue, la montée d'un tumulte lointain.

Il se tourna vers moi :

— Entendez-vous ?

À l'extérieur, je perçus effectivement un bruit croissant de cavalcades et de clameurs bestiales.

---

23. Ce matériau remplaçait le verre réservé aux habitations des gens riches.

— Qu'est-ce que c'est?

Jacques blêmit.

— C'est LUI!

— De qui parlez-vous?

— De sire Raoul. Cet homme est le Diable!

— Mais, que fait-il dehors à cette heure?

— À ce qu'il prétend, il chasse le loup.

— Et vous ne le croyez pas?

— Par tous les saints: nenni! S'il chasse vraiment, c'est un drôle de gibier qu'il traque…

— Que voulez-vous dire?

— On raconte toutes sortes d'histoires sur sire Raoul…

À cet instant, une bourrasque secoua la maison et un formidable coup de tonnerre en ébranla les murs.

Je me précipitai vers la porte.

L'orage était juste au-dessus de nous, mais il ne pleuvait pas. Des rafales agitaient les arbres à les déraciner. Le ciel crépusculaire avait pris une étrange couleur jaune soufre et des nuages noirs aux formes fantomatiques le traversaient à une vitesse folle.

Aux écuries, les bêtes étaient fébriles. Je dus venir en aide à Marek qui déployait des trésors de patience pour les calmer.

Quand nous rentrâmes dans la maison, Jacques Bonhomme nous interrogea du regard et, comme il voyait que nous n'avions rien d'extraordinaire à lui rapporter, il se remit à nous conter les rumeurs qui couraient au sujet du seigneur local :

— Oui, il en circule de drôles sur le compte de sire Raoul. Tenez, mon cousin le gros Mathurin, par exemple. Eh bien, un jour qu'il était sorti à gratte-couilles[24] pour soulager un besoin pressant, il l'a vu. Mais Raoul ne chassait pas à cheval. Croyez-moi, croyez-moi pas, il chassait à travers ciel avec pour équipage des démons montés sur des boucs et pour chiens des loups sortis tout droit de l'enfer. Et il se dit des choses encore pires à son sujet...

— Pires ?

— Oui, mais celles-là, il vaudrait mieux que vous les gardiez pour vous. Je les tiens d'une source sûre. Elles me viennent de Jean Hullot, le forgeron de Saint-Maximin. Un homme honnête, aussi droit que l'épée du roi, et qui a la réputation de ne jamais mentir. Ça s'est passé dans la nuit du 30 avril, alors que Jean était allé braconner un peu et

---

24. Au petit matin.

ramasser du bois mort sur la butte d'Aumont. C'est là qu'il a surpris messire Raoul en plein sabbat…

Jacques Bonhomme eut un moment d'hésitation avant de continuer, comme si le secret qu'il s'apprêtait à nous révéler présentait un réel danger. Nous nous penchâmes vers lui pour ne rien manquer de son récit. Ce voyant, il poursuivit à voix basse :

— Ce brave Hullot n'avait jamais assisté à une réunion de sorciers et de sorcières. Il ne reconnut donc pas tout de suite les signes de diablerie ! Mais, bientôt, il vit ce mécréant de Raoul, un cierge noir à la main, à genoux devant le Prince des Ténèbres en personne qui avait pris l'apparence d'un gros chien noir ou d'un loup de bonne taille. Et là, cet impie répétait en chœur avec les autres damnés qui l'entouraient : «Ô grand Belzébuth, tu es le véritable créateur de toutes choses et ta puissance est sans limites. Gloire à toi !» Ensuite, ils se sont tous mis à baiser le cul du chien et à lui tirer la queue en psalmodiant : «Maître, aide-nous !»

Marek ne put s'empêcher de rire et j'eus moi-même toutes les difficultés du monde à garder mon sérieux. Jacques Bonhomme fronça les sourcils.

— Riez si vous voulez. N'empêche que d'après ce pauvre Hullot, le chien leur chiait bel et bien des pièces d'or et se montrait plus généreux avec ceux qui affirmaient avoir été les plus méchants et avoir péché le plus salement. La suite d'ailleurs est encore plus incroyable…

Je l'invitai à continuer :

— Non, non, allez, maître Jacques, nous vous écoutons.

— Que s'est-il passé plus tard ? l'encouragea à son tour Marek.

— Plus tard, tous ces païens ont commencé à danser en rond, dos contre dos, en chantant des ritournelles indécentes et en faisant des choses bien dégoûtantes avec des femmes nues et échevelées qui dodelinaient de la tête et du corps comme des folles… Jean, je vous le jure, n'en menait pas large, mais il ne voulait rien manquer de cette fête infernale : les tambours sur lesquels ces démons battaient la mesure avec des os humains, le banquet au cours duquel ces damnés mangèrent des bébés, les crapauds qui sous les tables gobaient les miettes et, pour finir, la messe noire qui fut dite à rebours avec des rondelles de rave distribuées en guise d'hosties. Jusqu'à l'aube que ça a duré et, au premier chant du coq : hop ! Tout a disparu comme par enchantement ! Oui, je vous le dis : Raoul de Clermont est un moque-dieu[25], un suppôt de Satan qui ne nous apportera que des malheurs ! Mais je vous embête avec mes récits. Si vous voulez repartir demain, il serait temps d'aller nous coucher !

Jacques abandonna son siège en s'étirant. C'est alors seulement qu'il se rendit compte que Marion, assise dans l'ombre près de la huche à pain, avait quitté le large lit familial. Il lui en fit le reproche sur un ton faussement fâché qui n'impressionna pas la petite, occupée à flatter mon chat qui ronronnait sur ses genoux.

Elle me demanda comment se nommait l'animal.

Je lui répondis :

— Il n'a pas encore vraiment de nom… Que dirais-tu d'Anty ?

Elle approuva du menton.

Il se produisit alors un incident en apparence banal dont nul n'aurait pu imaginer les répercussions tragiques.

Un rat, en quête de quelques reliefs du repas, s'aventura sous la table. Jacques le

---

25. Blasphémateur, impie.

 67

chassa et le rongeur aurait sans doute regagné son trou si Anty, d'un bond, ne s'était jeté sur lui et ne l'avait saisi dans sa gueule. Il s'ensuivit une courte bataille dont le chat sortit facilement victorieux.

Marion prit alors le rat par la queue pour le jeter parmi les braises dans l'âtre.

Elle poussa un petit cri de douleur.

— J'ai été piquée !

Le père vint examiner la rougeur sur le poignet de l'enfant et repéra la responsable qu'il écrasa entre ses ongles.

— Ce n'est pas grave, ma mignonnette ! Rien qu'une piqûre de puce !

Jacques souffla la lampe et nous souhaita bonne nuit.

VI

Arrachée des griffes de la mort

À l'instar des autres membres de la maisonnée, je sombrai rapidement dans un profond sommeil au cours duquel m'apparut Bastet, la grande déesse.

En fait, ce n'était pas vraiment une apparition, car je n'entendais que sa voix douce et devinais sa présence à ses prunelles de chat qui brillaient dans la nuit.

— Séti, me chuchota-t-elle, prends garde, les forces du mal sont à tes trousses. Elles veulent le livre. Ne t'endors pas. Elles sont tout près…

À ces mots, je me réveillai brusquement en cherchant d'invisibles ennemis au cœur des ténèbres.

 69

Il n'y avait personne. Seulement Anty venu s'étendre sur moi. Anty qui ne dormait pas non plus et me fixait de ses yeux verts pailletés d'or.

Je refermai les paupières, espérant me rendormir. Vainement. J'avais beau essayer de me raisonner, chaque bruit qui me parvenait prenait une résonance alarmante et paraissait m'avertir d'un péril imminent.

Dehors, le vent s'était remis à souffler et secouait les volets. Derrière la cloison, du côté de l'étable et de la bergerie, les bêtes s'agitaient, éparpillant leur litière et poussant des mugissements et des bêlements affolés.

Le moindre craquement me faisait sursauter. Puis, ma raison reprit peu à peu le dessus et je parvins à me convaincre qu'aucune de ces terreurs nocturnes n'était justifiée. Pensée qui me réconforta jusqu'à ce que je m'aperçoive que Jacques aussi était en alerte.

Il se trouvait devant la cheminée dans laquelle il laissa tomber une poignée de paille qui, en s'enflammant, éclaira brièvement la pièce.

Je murmurai :

— Vous aussi, vous pressentez quelque chose ?

— Oui, je vais aller jeter un coup d'œil.

Armé d'une faucille, Jacques tira le loquet de la porte et poussa celle-ci en évitant le plus possible de la faire grincer.

Il rentra au bout de quelques minutes et me confia à voix basse :

— Des loups ! Des loups qui rôdent dans le village… Je ne comprends pas. D'habitude, ils ne se hasardent jamais si près des maisons !

Le lendemain, Marion tomba malade. Le pouls qui s'emballe. Une grosse poussée de fièvre. Des vertiges. Des étouffements. Des vomissements. Puis des convulsions et, d'après la petite, une souffrance abominable dans tous les membres.

Son père était au désespoir. Marek proposa d'aller quérir un médecin. Pendant ce temps, Kalia ne quittait pas le chevet de la fillette à qui elle chantait des berceuses dans une langue qui m'était inconnue. Bref, chacun s'activait de son mieux sans toutefois oser prononcer à voix haute le nom de la maladie redoutée qui venait de faire entrer le malheur dans la chaumière de Jacques Bonhomme.

Pourtant, tous autant que nous étions, nous savions que c'était *Elle*. Jacques le premier, qui décida de transporter Marion au grenier afin de l'isoler et de minimiser les risques de contagion.

Tout au fond de moi, je me sentais terriblement coupable. Marion, Marek et moi avions-nous amené les germes de la pestilence dans nos bagages ? Pourtant, nous ne présentions pas de symptômes. J'espérais donc, sans trop y croire, que Marion souffrait d'une affection beaucoup moins grave...

Hélas, rapidement la malade commença à se plaindre d'une douleur intense à l'aisselle. Jacques la déshabilla et, quand nous vîmes le bubon gros comme un œuf qui s'était logé sous son bras ainsi que les taches noirâtres qui avaient envahi son ventre, le doute cessa d'être possible.

Marion, à moins d'un miracle, allait mourir. Si je me fiais à ce que j'avais vu à Pontoise, ce n'était plus qu'une question de jours. Peut-être même d'heures.

La tête dans les mains, au pied de la couche improvisée dans laquelle agonisait sa fille, Jacques pleurait à chaudes larmes.

Alors, brusquement, Kalia se tourna vers moi :

— Tu peux la sauver, n'est-ce pas?

Le ton de reproche sur lequel elle m'avait lancé cette phrase, m'étonna.

— Comment peux-tu dire cela?

Elle me répliqua sur le même ton impératif:

— Je l'ai lu dans les lignes de ta main!

Elle avait bien deviné. Je pouvais en effet arracher cette enfant aux griffes de la mort. J'avais déjà accompli ce genre de prodige à de nombreuses reprises au cours de mes multiples existences. Le livre de Thot, caché dans ma besace, me donnait ce pouvoir. Mais j'avais appris que changer le cours du destin en utilisant la magie n'était pas sans conséquence. Un geste d'apparente bonté pouvait engendrer un désastre et, à l'inverse, ce qui à première vue semblait un crime pouvait se révéler un bienfait. Seuls les dieux avaient la sagesse infuse pour maintenir l'harmonie du monde, le maât, en assurant ce délicat équilibre entre le bien et le mal.

Reste que je savais le peu de poids qu'avaient ces considérations philosophiques face à la mort imminente d'un être proche. Surtout s'il s'agissait d'une fillette innocente en proie aux affres de la plus terrible des affections.

Kalia, qui attendait ma réponse, se mit à sourire. Sans que nous ayons eu à échanger une parole, elle avait compris que je consentais à intervenir. Même si j'étais immortel, j'étais né avec le cœur d'un homme.

Je lui demandai de faire sortir tout le monde du grenier à l'exception d'Anty. Jacques, après un bref moment d'hésitation, acquiesça. Kalia et Marek le suivirent.

Une fois seul avec la petite, je tirai délicatement le livre de Thot de ma besace et déroulai le long papyrus d'or…

À mon grand étonnement, sans que j'eusse besoin de déchiffrer les hiéroglyphes sacrés, les mots qui guérissent me vinrent aux lèvres:

«Ô vénéré Thot à la tête d'ibis, scribe écouté des dieux, toi qui sais tout, qui vois tout, qui peux tout! Ô Thot, puits de science, mémoire de l'univers, protège cette innocente, prends-la sous ton aile protectrice. Et toi, Bastet à la tête de chat, mère aimante qui chéris tous les enfants de la terre, veille également sur elle, aide-la à guérir, enseigne-moi les gestes qui sauvent, guide ma main…»

À peine cette incantation achevée, un souffle puissant traversa le grenier et ranima la flamme qui couvait sous les braises du brasero placé près de la malade. En jaillit un tourbillon d'étincelles qui formèrent une série de caractères de feu. Ce message, en fait, me dictait la marche à suivre pour pratiquer une sorte d'opération chirurgicale. Il me fallait un couteau effilé. Je pris celui de Jacques qui traînait sur le sol. «Tranche les racines du mal!» disaient les dieux. Je dénudai la frêle épaule de Marion et lui levai le bras. Au niveau de son aisselle apparut le bubon qui avait atteint la grosseur d'une pomme. Je ne devais pas hésiter. J'y enfonçai la lame de mon coutelas et coupai la chair qui libéra un flot de pus.

De nouveau, des prières sortirent spontanément de ma bouche, répétées encore et encore :

«Ô Thot, maître du temps, et toi Bastet, fille du Soleil, montrez votre toute-puissance.»

Et aussitôt des gerbes de flammes s'élevèrent à nouveau du brasero et enveloppèrent la jeune malade. Alors, Anty poussa un long miaulement comme s'il saluait un visiteur invisible. Il s'assit et, sous mes yeux, se mit à grossir et à projeter une lumière aveuglante. Celle-ci donnait l'éclat de l'or au pelage de mon compagnon et se concentra autour de sa tête en un disque plus brillant que l'astre du jour.

Tremblant d'émotion, je tombai à genoux devant lui, les deux mains levées, paumes vers l'avant.

— C'est vous, grande déesse! Loué soit votre nom. Pardonnez-moi d'avoir osé vous tirer de votre sommeil millénaire!

Immobile comme une statue, le chat divin ne broncha pas, mais j'entendis Marion gémir doucement.

Elle était guérie.

VII

Vent de révolte

Ce que j'avais redouté ne tarda pas à advenir… Les dieux eux-mêmes n'échappent pas à cette loi : quiconque dévie le cours du destin en faisant appel à la magie du livre s'expose à engendrer le chaos. J'en avais fait la triste expérience et ce qui était déjà arrivé en Bretagne au temps du roi Arthur se reproduisit inéluctablement.

Malgré mes précautions pour garder secrète la guérison de Marion, la rumeur de cet événement miraculeux se répandit dans Saint-Leu à une vitesse foudroyante, risquant d'attirer des flots de malades de tous les hameaux voisins.

Bientôt, on ne parla plus dans la paroisse que de ce mire[26] extraordinaire venu d'Égypte

---

26. Médecin.

qui avait sauvé la fille unique du grand Jacques et préservé le village du spectre de la mort noire.

Pire encore : sans que je puisse deviner qui de mes amis avait commis l'extrême imprudence d'en parler, on colporta de plus que ce prodige était attribuable à un grimoire que j'avais en ma possession.

Dès lors, je cessai d'entretenir la moindre illusion. Aujourd'hui, on m'adulait comme un saint homme, mais je pouvais très bien tomber en disgrâce du jour au lendemain et être accusé de pratiquer la sorcellerie en ayant commerce avec les puissances infernales.

Il fallait parer au plus urgent. Par prudence, je décidai donc de cacher le livre de Thot afin que, faute de preuves, personne ne puisse me reprocher de l'utiliser à des fins impies ou ne soit tenté de me le dérober.

Comme je savais que Kalia et Marek finiraient tôt ou tard par reprendre la route et comme j'avais l'intention de repartir avec eux, je cherchai un endroit où mon papyrus serait aisé à dissimuler et tout aussi facile à récupérer. Or, j'avais remarqué, à l'entrée de Saint-Leu, un champ en friche devant lequel les villageois ne passaient jamais sans esquisser un signe de croix. J'appris que, plusieurs années auparavant, les Français et les Anglais avaient livré bataille dans ce pré et que, depuis, personne n'avait osé le faucher ou y faire paître ses bêtes, car les dépouilles des combattants des deux camps y reposaient encore, sans sépultures.

C'était l'emplacement idéal pour mettre le livre en sécurité.

Des restes d'ossements dispersés par les animaux sauvages jonchaient effectivement le sol et, sur les armures en pièces et les cottes d'armes déchirées, on pouvait encore distinguer le lys de France et le léopard d'Angleterre. Au milieu de ce cimetière de fortune qui semblait avoir rejeté ses morts pour les laisser pourrir en plein air se dressait un chêne creux sur les branches duquel étaient installées des grappes de corbeaux charognards qui, à mon approche, s'envolèrent en croassant. Un chêne avait gardé le secret du livre pendant tant d'années. Un chêne le garderait encore. Le tronc de l'arbre, sans doute fendu par la foudre, présentait une blessure béante assez profonde pour que j'y glisse mon précieux bagage. Une poignée de mousse pour boucher le trou et le tour était joué.

Je jetai un coup d'œil autour de moi. Personne ne m'avait suivi.

Sur le moment, j'éprouvai un grand soulagement mais, dès que j'eus regagné l'extrémité de ce champ maudit, je ressentis une impression désagréable. L'impression que quelqu'un était embusqué dans les hautes graminées, prêt à m'attaquer…

Mon pied buta sur un fauchard rouillé. Je m'en emparai et, tenant l'arme à deux mains, avançai lentement.

Il y eut un bruissement d'herbes et des craquements de branchages qu'on piétine.

Je criai:

— Montrez-vous, espèce de couard!

Apparemment, mon ennemi invisible était arrivé trop tard pour me surprendre et avait battu en retraite.

Écartant les dernières touffes de végétation, je rejoignis enfin la route du village.

C'est alors qu'à cent pas de moi, émergeant lui aussi des buissons, je le vis. Celui qui m'avait causé tant d'émoi était un loup! Un loup énorme et borgne qui me fixa longuement de son œil unique avant de détaler sans demander son reste.

J'avais cru que nous quitterions Saint-Leu après un séjour de quelques semaines. Le sort encore une fois en décida autrement.

La mort noire avait gagné presque tout le royaume et nous n'avions nulle part où aller. Après avoir frappé Paris, le Vexin et la Picardie, on avait d'abord cru que dame Peste, comme certains l'appelaient, s'était rendormie. Les astrologues du roi avaient d'ailleurs prédit que la triple conjonction de Saturne, Jupiter et Mars dans le quarantième degré du Verseau était révolue, ce qui signifiait qu'il n'y avait plus lieu de s'inquiéter. Hélas! Au cœur de l'été, l'insatiable mangeuse d'hommes se réveilla et reprit sa course, sautant le Rhin pour envahir l'Allemagne et tout le reste de l'Europe où elle faucha plus de vingt millions de chrétiens, supprimant sans distinction les paysans, les gens d'Église et les nobles seigneurs. Mais ce ne fut pas le seul malheur qui s'abattit sur les campagnes. Dans les régions touchées, comme plus personne ne labourait ni ne semait, la famine emporta nombre de ceux que la maladie avait épargnés.

Puis, insoucieux de la grande misère de leurs royaumes respectifs, les princes se déclarèrent de nouveau la guerre. Cette fois, ce fut des provinces du sud que vinrent les

 81

mauvaises nouvelles. Le Prince Noir[27], à la tête de cinq mille routiers[28], écorcheurs et coupe-jarrets avait chevauché dans tout le Languedoc, brûlant bourgs et moulins pour ensuite remonter vers le nord et piller Bourges avant que le roi Jean ne tente de l'arrêter à Poitiers.

C'est alors que nous apprîmes ce qui nous semblait impossible. Les Français, pourtant bien supérieurs en nombre, avaient été écrasés à Maupertuis. Nous en sûmes plus long lorsqu'un beau matin, de retour à Saint-Leu, des témoins se rassemblèrent chez notre hôte pour nous raconter comment la victoire, à portée de main des troupes royales, avait viré au désastre. Comment les chevaliers, se lançant en désordre à l'assaut, étaient tombés par milliers sous les flèches des archers gallois. Comment la panique s'était emparée de tous ces grands seigneurs avec leurs belles armures

---

27. Fils aîné du roi d'Angleterre Édouard III.
28. Les routiers regroupés en compagnies étaient un des grands fléaux de l'époque. C'était des merce-naires et des chevaliers ruinés originaires de Gascogne, du pays de Galles, d'Allemagne, du Brabant, du Hainaut ou de Navarre. Pendant les guerres, ils pillaient les terres qu'ils traversaient. En temps de paix, ils étaient licenciés et vivaient alors de brigandage.

étincelantes. Comment ils avaient fui éperdu-
ment, laissant le roi Jean, qui avait juré de
ne pas reculer d'une lance, se battre presque seul, couvert de sang, avant d'être fait
prisonnier!

— Et savez-vous, parmi tous ces lâches
ayant abandonné notre roi, qui galopait le
plus vite pour ne pas tomber aux mains de
l'Anglais? Le comte Raoul de Clermont de Nesle,
déclara un des voyageurs.

Jacques Bonhomme, à ce détail, se mit en
colère et cogna de son poing sur la table.

— Honte à ce félon! Honte à tous ces
culs-verts[29] de nobles qui non seulement
s'engraissent sur notre dos, mais ne sont même
pas capables de donner leur vie pour protéger
notre souverain!

— Maître Jacques, vous avez raison!
approuvèrent les serfs venus en grand
nombre. Vous êtes un homme de bon conseil,
un véritable prudhomme[30]. Mais que pouvons-
nous faire? Messire Raoul est le seigneur que
Dieu nous a donné. Si nous nous révoltons,
il nous passera la corde autour du cou.

---

29. Lâches.
30. Au Moyen Âge, homme sage, personne de bon
    conseil.

Jacques se redressa, indigné.

— Je ne crois pas que sire Raoul détienne son pouvoir de Dieu. Notre Seigneur Jésus-Christ ne peut approuver les péchés de ce démon. Dieu n'est pas du côté des riches et des puissants. Il est du bord des pauvres et des déshérités. Au royaume des cieux, c'est à nous que sont promises les meilleures places !

De nouveau, les manants acquiescèrent bruyamment et l'un d'eux s'écria :

— Oui, c'est assez ! S'il le faut, nous prendrons les armes contre ce mange-chrétiens. Avec toi à notre tête, ceux de Blaincourt, de Villiers, de Précy et de Montataire nous suivront. Nous serons tous des « jacques ».

— Vive les jacques ! reprirent les autres.

J'avais assisté à cette discussion animée sans y participer, m'attendant à tout moment à ce que Marek et Kalia viennent me chercher pour notre départ en début d'après-midi. Le frère et la sœur achevaient de plier leurs bagages. Quant à moi, il ne me restait plus qu'à récupérer mon livre et à reprendre Anty que la petite Marion, inconsolable, avait tenu à garder dans ses bras jusqu'à l'heure de la séparation.

Soudain, alors que les serfs rebelles s'apprêtaient à rentrer chez eux, la porte de la chaumine s'ouvrit avec fracas et Marek fit irruption dans la pièce pour prévenir les paysans assemblés.

— Vous feriez mieux de filer au plus vite! Votre Raoul s'en revient de guerre. Il est à une demi-lieue d'ici. En allant faire boire mes chevaux, j'ai aperçu au loin ses soldats et j'ai reconnu ses oriflammes.

— S'il vient par le chemin de Paris, il ne sera pas là de sitôt! rassura un des conjurés.

— Non, il a coupé à travers champs! rectifia Marek.

— Comment ça! s'indigna encore Jacques. Mais il doit bien voir que les épis sont presque mûrs. Il va tout écraser et la récolte sera perdue!

Les paysans atterrés se précipitèrent dehors, juste à temps pour voir l'host[31] du comte s'avancer au milieu de la mer des blés dans laquelle les destriers lourdement caparaçonnés s'enfonçaient jusqu'au poitrail.

---

31. Troupe, armée non permanente.

Raoul de Clermont, entouré de ses capitaines et la visière de son bassinet relevée, chevauchait en tête dans son armure de plates étincelantes.

Après le portrait qu'on m'avait tracé de lui et connaissant la sinistre réputation qui le précédait, je dois avouer que j'étais curieux de voir d'un peu plus près à quoi ressemblait cet homme.

Je le reconnus immédiatement à son bandeau sur l'œil gauche.

Il était plus grand que dans mon souvenir et affichait un air sombre. À sa suite s'étirait le corps des chevaliers qui précédait une longue colonne d'une centaine de piétons[32] et d'arbalétriers. Des charrettes transportant les blessés les plus gravement atteints fermaient la marche.

La plupart de ces hommes semblaient épuisés et découragés.

En entrant dans Saint-Leu, le comte leva son gantelet et la troupe s'arrêta. Les soldats à pied en profitèrent aussitôt pour s'asseoir ou pénétrer de force dans les maisons dans l'espoir d'y faire main basse sur de la nourriture.

Apeurés, les serfs se regroupèrent autour de Jacques pendant que les femmes, jupes

32. Soldats combattant à pied.

remontées dans leur ceinture, couraient se mettre à l'abri avec leurs bébés.

Raoul se fit aider pour descendre de sa monture. Il se planta devant Jacques.

— Toi, apporte-moi à boire. Du vin, et de ton meilleur !

Jacques, bras croisés, ne broncha pas.

— Qu'attends-tu, canaille ? gronda le comte de Clermont en l'envoyant rouler à terre d'un terrible coup de son gantelet de fer.

Marek, qui avait assisté à la scène, voulut intervenir. Je le retins. Kalia, de son côté, serra contre elle la petite Marion afin que l'enfant ne voie pas son père, affalé par terre, le visage ensanglanté.

Raoul appela deux de ses soudards.

— Ce soir, je donne une grande fête pour célébrer mon retour. Fouillez les caves. Videz les greniers ! Prenez la farine ! Je veux un bœuf, deux porcs, les agneaux de l'année, la volaille... Tout ce que vous trouverez !

Leurs chapeaux de paille à la main, quelques serfs se firent suppliants :

— Mais, monseigneur, comment nourrirons-nous nos enfançons[33] cet hiver

---

33. Enfants.

si vos preneurs et vos fourriers nous larron-
nent[34] le peu que nous avons?

— Larronner, dites-vous! fulmina Raoul.
Manants que vous êtes, ignorez-vous que j'ai
sur vous le droit de gîte et de pourvoirie?
Tout m'appartient: vos maisons, votre grain,
votre bétail. Tout. Même vos vies, misérables!

Les paysans, tremblants de peur, tombè-
rent à genoux. L'infâme personnage n'en
continua pas moins de les accabler et de les
rouer de coups pendant que ses zélés serviteurs défonçaient les portes des étables et des
poulaillers pour en revenir avec un cochonnet
sous le bras ou une poule dans chaque main.

Raoul parut enfin s'apaiser, comme si
cette mise à sac divertissante lui avait fait
oublier ses cuisants échecs guerriers. Il se mit
même à sourire en découvrant Bero, l'ours qui
se dandinait sur deux pattes.

— Il est à toi, cet animal?

— Oui, messire, répondit Marek en
tentant de calmer son compagnon poilu.

— Et ces chevaux sont à toi aussi? Des
bêtes superbes, tout comme cette fille. Qui
est-elle?

---

34. Volent.

— C'est ma sœur, monseigneur, articula le bohémien en contenant sa rage.

Raoul se tourna vers moi.

— Et toi, je suppose que tu es le médecin un peu sorcier dont on parle tant. Eh bien, vous serez tous de la fête. J'aime les savants et point de banquet qui se respecte sans jongleurs et animaux dressés !

Marek protesta que nous nous apprêtions à quitter le pays.

Le comte le rabroua brutalement.

— Apprends, coquin, que mes désirs sont des ordres. N'oublie pas également que j'ai le droit de haute et de basse justice sur mes terres. Préfères-tu que je te fasse jeter au cachot avec tes amis ?

Marek n'insista pas et nous attendîmes que l'odieux visiteur soit remonté sur son destrier bardé de métal pour aider le pauvre Jacques à se relever.

Malheureusement, le comte n'avait pas dit son dernier mot. À peine en selle, il s'adressa à son sénéchal et, désignant le pauvre Jacques qui tenait à peine sur ses jambes, il laissa tomber cette phrase sur le ton le plus naturel du monde :

— Quant à ce rustre, boutez le feu à sa maison et mettez-le une semaine au pilori après l'avoir bien fouetté pour lui apprendre la politesse.

Raoul tourna bride et, dès qu'il eut disparu, le sénéchal s'avança pour appréhender Jacques.

Aussitôt, une douzaine de serfs entourèrent le blessé qui disparut dans la foule avant de réussir à prendre la fuite.

— Écartez-vous! ordonna l'officier.

Menaçants, les paysans ne bougèrent pas d'un pouce et le sénéchal crut plus prudent de battre en retraite.

— C'est une rébellion! grogna-t-il. Messire Raoul vous fera tous pendre pour avoir osé défier son autorité.

VIII

Le banquet des damnés

Le banquet eut lieu dans la grande salle du château de Saint-Leu dont les dalles avaient été recouvertes de fleurs, de feuillages et d'herbes parfumées[35]. Le décor était somptueux. Aux murs étaient accrochées des tapisseries de grand prix et, pour la circonstance, des centaines de chandelles éclairaient les trois tables réunies en un demi-cercle derrière lequel se trouvaient assis les invités de Raoul de Clermont, habillés à la dernière mode. Pour les hommes : pourpoints brodés, houppelandes fourrées de menuvair[36], toques et chaperons ornés de perles ou piqués de

---

35. Les jours de fête, le sol était parfois couvert de menthe, de verveine et de lys.
36. Fourrure d'écureuil de Sibérie.

plumes d'autruche, chausses collantes et poulaines[37] d'une longueur si extravagante que ceux qui les portaient pouvaient à peine se déplacer. Pour les femmes: robes de drap écarlate de Bruxelles ou de soie d'Orient ceinturées sous la poitrine, surcots de brocart enjolivés d'hermine ou de martre et corsages impudiquement échancrés. Malgré tout ce raffinement, ces dames étaient sans expression et avaient quelque chose de risible avec leur front rasé, leurs sourcils épilés et leurs lourds chignons noués sur les tempes.

Assis au centre de la table, son lévrier favori à ses pieds, Raoul de Clermont ne semblait pas s'offusquer de ce luxe tapageur. Au contraire, cette opulence scandaleuse semblait le ravir et il distribuait généreusement les compliments à droite et à gauche.

Sans que je sache à quoi je devais cet honneur, notre hôte m'avait fait asseoir à ses côtés. Je pense qu'il cherchait à m'impressionner et, régulièrement, il me présentait la compagnie en m'énumérant avec soin les titres et les quartiers de noblesse de chacun.

---

37. Chaussures à bouts pointus dont la longueur atteignait jusqu'à deux fois celle du pied. La pointe était souvent reliée au genou par une chaînette pour faciliter la marche.

Chaque fois qu'il en avait l'occasion, d'un ton faussement badin, il me questionnait sur mes origines et l'étendue de mon savoir.

Heureusement pour moi, cet interrogatoire détourné n'avait jamais le temps d'aller bien loin car, sans arrêt, une armée de gens de cuisine apportaient des plats que le chef cuisinier annonçait à haute voix et qui étaient accueillis par les exclamations admiratives des convives.

C'était une débauche de victuailles apprêtées de mille façons et aromatisées à l'aide des épices les plus chères: quartiers de cerf au poivre piqués de clous de girofle, porcs à la sauce verte, ragoûts de bœuf nappés d'eau de rose, poulets à l'ail, lapereaux à la cannelle, hures de sanglier, agneaux à la moutarde, cygnes et paons farcis servis encore parés de leurs plumes, chapons frits au lard, brochets et lamproies en galantine, truites en croûte sans compter une profusion de pâtisseries et de fruits divers: gaufres, tartes au fromage, massepains, beignets au miel, pains d'épices, fouaces, oublies, pommes, figues, noix…

Ce défilé n'avait pas de fin et quand, sur l'invitation du maître de la maison, ce beau monde se mit à ingurgiter goulûment cette montagne de nourriture, le tout se mua en un spectacle répugnant. Les seigneurs, sans retenue, empoignaient les gigots et les pièces de viande pour les dévorer à belles dents. Les sauces grasses dégoulinaient sur les joues des dames. Certains s'étouffaient et régurgitaient sous les rires de leurs voisins. D'autres, gavés, jetaient leurs carcasses de poulet sous la table où les chiens se les disputaient.

Devant un tel gaspillage éhonté, je ne pouvais m'empêcher de penser à Jacques et aux serfs de Saint-Leu qui, ce soir-là, n'avaient sans doute qu'un brouet clair à avaler. Du coup, je perdis l'appétit et repoussai l'épaisse tranche de pain de froment[38] qui me servait d'assiette.

Raoul s'en aperçut et fit signe à un serviteur de remplir ma coupe de vin d'Auxois.

— Vous n'avez plus faim ? Tenez, buvez de ce vin, vous n'en trouverez pas de plus fin sur la table du dauphin Charles[39]… À moins que vous ne préfériez l'hypocras ?

---

38. Ces tranches de pain, ou tailloirs, étaient remplacées plusieurs fois pendant le repas.
39. Pendant la captivité de son père, le dauphin Charles assura la régence. Il monta sur le trône en 1364, sous le nom de Charles V le Sage et opéra un début de reconquête du royaume sur les Anglais.

Voulant garder la tête froide, je déclinai l'offre poliment.

Le comte en fut contrarié, bien qu'il feignît de conserver sa bonne humeur en criant à la cantonade :

— Mangez ! Régalez-vous ! Mangez ! Mangez ! Quand il n'y en aura plus, il y en aura encore !

Invitation qui, de sa part, me parut sonner faux, puisque lui-même ne touchait à presque rien. D'ailleurs, avant d'avaler la moindre bouchée, il soumettait tout ce qu'il avait l'intention d'absorber à un curieux test en saupoudrant chaque plat d'une pincée de poudre blanche ou en frottant les aliments avec ce qui ressemblait à une grosse dent recourbée.

Un vieillard, qui se rinçait les doigts à côté de moi, me chuchota :

— C'est de la corne de licorne et une langue de serpent[40]… Le fin finaud s'en sert parce qu'il a peur qu'on l'empoisonne.

De fait, plus j'observais ce Raoul de Clermont de Nesle, plus ce démon borgne

---

40. La corne de licorne et la langue de serpent servaient à détecter la présence de poison. En fait, la corne vendue comme corne de licorne était une dent de narval et la langue de serpent, une dent de requin.

me rappelait les canailles de haut vol que j'avais rencontrées dans mes existences passées. L'incarnation parfaite de la fourberie. Moitié pattepelue[41], moitié loup féroce.

Que voulait-il exactement? Quel plan criminel tramait-il?

Apparemment, l'heure de la vérité n'avait pas encore sonné dans cette âme noire car le monstre, au lieu de livrer enfin ses véritables intentions, frappa dans ses mains, puis se leva pour imposer le silence et annoncer:

— Et maintenant, mes chers amis, vous plairait-il que nous nous divertissions? Oui… Alors qu'on aille quérir le bohémien et sa sœur!

Une tenture se souleva et Marek fit son entrée avec Bero à sa suite. L'ours se redressa et, obéissant à chaque ordre de son maître, se mit à tourner sur lui-même et à rouler sur le dos, tout en attrapant au vol des boulettes de viande en ouvrant grand la gueule pour montrer ses crocs effrayants, au grand plaisir des spectateurs.

Le comte parut satisfait du numéro et tira de son escarcelle quelques pièces qu'il lança

---

41. Hypocrite.

avec désinvolture au bohémien. Ce dernier les ramassa et céda sa place à Kalia qui, des grelots attachés aux chevilles et un tambourin à la main, entama, dos cambré, une danse tourbillonnante qui connut un succès considérable. Certains spectateurs éméchés firent des remarques égrillardes et Kalia dut, à plusieurs reprises, écarter des mains qui essayaient de l'attirer. Raoul lui-même se pencha sur la jeune femme et tenta de lui dérober un baiser. La bohémienne résista. Le comte se rembrunit et, d'un geste brusque, saisit la danseuse par les lacets qui fermaient le haut de sa robe. Le tissu se déchira, découvrant un sein que Kalia s'empressa de cacher.

Jugeant que, cette fois, il était impératif de faire cesser ce jeu dangereux, j'empoignai le bras du triste sire qui me repoussa avec violence en grinçant des dents.

— Ne me touchez pas, ou vous le regretterez !

Mais ce que le comte Raoul n'avait certainement pas prévu fut la réaction de Marek qui, d'un seul coup, libéra son ours :

— Attaque, Bero ! Attaque ! lança le bohémien.

Le mastodonte n'hésita pas un seul instant. De toute sa masse formidable, il se rua sur

Raoul, balayant d'un coup de patte toute la vaisselle précieuse de la table.

Le comte, livide, hurla :

— À moi ! À moi !

Bero l'avait déjà agrippé lorsque trois gardes armés d'épieux et de lances accoururent à la rescousse et encerclèrent la pauvre bête qu'ils lardèrent de coups répétés.

L'animal tenta bien de se défendre et, la fourrure maculée de sang, il griffa à mort un de ses agresseurs. Raoul, cependant, avait eu le temps de se ressaisir. Il tira sa dague de sa ceinture et la plongea dans la gorge de Bero qui s'effondra. Mort.

Kalia poussa un cri déchirant. Deux gardes, arrivés en renfort, entraînèrent Marek de force hors de la salle. Un mouvement de panique se dessina parmi les invités. Mouvement que Raoul calma aussitôt avant d'ordonner à ses hommes :

— Débarrassez-moi de cette bête et nettoyez-moi tout ça ! Emmenez-moi également cette petite gueuse de bohémienne et mettez-la aux fers avec l'autre. Je déciderai plus tard de leur sort.

Je fus tenté de me lever pour manifester à nouveau mon indignation. Mais à quoi cela

98

aurait-il servi? À être arrêté alors qu'il y avait peut-être encore moyen de secourir mes amis? Comme le dit le proverbe plein de sagesse: quand le loup cherche à te mordre ce n'est point le temps de lui tenir des discours.

Raoul, par sa démonstration d'autorité, obtint l'effet qu'il escomptait sans toutefois ramener la tranquillité aux tables où plusieurs convives s'interrogeaient bruyamment sur les événements tragiques dont ils venaient d'être témoins.

Le comte, avec un talent consommé d'acteur, les interpella de nouveau sur un ton enjoué:

— Nobles seigneurs et gentes dames, oubliez ce qui vient de se passer. Un incident fâcheux. Ce n'est rien... Que la fête continue! Allez, musiciens, jouez! Qu'on apporte du vin de Chypre! Je vous demande juste un peu de patience. Le clou de la soirée s'en vient. Regardez bien! Onques[42] on ne vit plus grande drôlerie.

Les têtes se tournèrent dans la direction indiquée par Raoul et, soudain, on vit faire irruption dans la salle un troupeau d'étranges créatures affolées, entièrement couvertes de

---

42. Jamais.

99

poils. À leurs longues queues, je crus d'abord qu'il s'agissait de singes de grande taille. En fait, je réalisai bientôt avec horreur qu'il s'agissait d'hommes et de femmes qu'on avait badigeonnés de poix et recouverts de fourrure. Ils étaient grotesques et pitoyables à la fois. On les obligea à sautiller, à se contorsionner et à simuler des accouplements bestiaux qui déchaînèrent l'hilarité générale.

Raoul riait encore plus fort que les autres. Je restai coi et il me fallut un certain temps pour comprendre à quoi rimait cette odieuse mascarade. À la demande de ses hôtes, le comte finit par s'expliquer :

— Je l'ai toujours dit : les vilains qui travaillent nos terres sont moins des êtres humains que des bêtes sauvages répugnantes. Récemment, certains d'entre eux ont osé me tenir tête, menés par un serf révolté qui a réussi à s'échapper. Ce soir, j'ai voulu vous montrer la vraie nature de ces misérables. Regardez comme ils sont laids ! Qu'on apporte des flambeaux pour qu'on voie de plus près leurs groins de porc et leurs culs terreux.

Ces pauvres êtres hirsutes, avec leur queue de vache et leurs cornes postiches qui leur donnaient une allure démoniaque, étaient bien sûr morts de frayeur. Bientôt, ils cessèrent de gesticuler et de gronder comme on le leur avait demandé pour se serrer les uns contre les autres, hébétés, dos courbés et bras ballants.

Raoul, déçu, décida de pimenter le spectacle et, armé d'un flambeau, il commença à les effrayer en menaçant de leur brûler le museau.

Terrorisé, le troupeau de bêtes humaines chercha à fuir. Mais, coincées comme elles étaient dans l'espace réduit entre les trois tables, Raoul eut tout loisir de malmener de plus belle ses victimes en agitant la flamme de sa torche toujours plus près de celles-ci. Si près que, tout à coup, les cheveux d'un de ces hommes sauvages prirent feu et que le malheureux, en un instant, fut transformé en brasier vivant. L'homme poussa des hurlements affreux et se mit à courir dans tous les sens, ce qui eut pour effet d'embraser les déguisements imbibés de substances inflammables de ses compagnons d'infortune qui prirent feu à leur tour comme autant de fagots de bois sec.

Quelques serviteurs se précipitèrent avec des baquets et des seaux d'eau, mais avant de tenter d'éteindre l'incendie qui menaçait de se

 101

répandre aux jonchées, aux meubles et aux tentures, ils attendirent que le comte leur fasse signe.

Or, que fit l'ignoble Raoul de Clermont?

Pendant que les serfs se tordaient de douleur et se roulaient à terre, il se contenta de les regarder, fasciné, et les laissa griller jusqu'à ce qu'il ne reste d'eux qu'un amas de chair fumante.

Tout s'était passé si vite.

J'étais épouvanté et je ne pus me retenir de crier:

— Quelle sorte de monstre êtes-vous pour faire preuve de tant de noirceur?

Raoul reçut l'insulte sans sourciller. Au contraire, il parut plutôt satisfait d'avoir montré à ceux qui étaient présents jusqu'où il pouvait pousser sa cruauté.

Il ricana.

— Qui êtes-vous pour me juger? Ces vilains m'appartenaient et j'avais le droit d'en disposer à ma guise, comme je pourrais disposer de vous si vous aviez l'inconséquence de vous exposer à mon courroux. À ce propos, parlons franc, vous êtes sur mes terres et je vais vous donner l'occasion de me convaincre que vous êtes mon homme lige. Je sais que vous possédez un puissant grimoire et que vous êtes magicien. Je veux que vous me fabriquiez de l'or. Beaucoup d'or. Grâce à une certaine pierre[43], on dit qu'il est possible de changer le plomb en or. N'est-il pas vrai ?

Je feignis de ne pas comprendre.

— Mais, monseigneur, à voir les largesses dont vous avez fait preuve ce soir, vous êtes déjà fort riche…

Le comte me fixa de son œil gris acier.

— La somme dont j'ai besoin est énorme. Il s'agit de payer en tout, ou en partie, la rançon du roi Jean tombé aux mains des Anglais. Trois millions d'écus d'or[44] !

— C'est là un geste très généreux…, concédai-je, étonné.

— Nenni ! Le geste est intéressé. J'ai besoin de cet argent pour reconquérir les faveurs royales. Le dauphin Charles ne m'aime guère. Il m'a fait chasser du Louvre. Mais ses caisses sont vides. Si je paie pour faire libérer son père des geôles de Londres, il n'aura d'autre choix que de me recevoir de nouveau à sa cour.

---

43. La pierre philosophale.
44. Cette rançon phénoménale équivalait à six fois les revenus de toute la couronne d'Angleterre. À peine la moitié fut versée.

Je ne répondis pas.

Il approcha alors son hideux visage tout près du mien et me menaça directement :

— Au cas où vous refuseriez de m'aider, vous verrez ce dont je suis capable. Ce à quoi vous avez assisté aujourd'hui n'est rien à côté des mille morts que je vous ferai endurer.

IX

Le procès

La prison de Fontaine-sous-Montdidier où Raoul me fit enfermer n'était pas à proprement parler une prison. C'était l'antichambre de l'enfer. Une sorte de puits infect, creusé dans le soubassement du château, auquel on accédait par une échelle mobile. À mi-hauteur de ce trou profond courait une étroite terrasse circulaire aux murs de laquelle étaient enchaînés les prisonniers. Ainsi, quand l'un d'eux mourait, on n'avait pas à se donner la peine de remonter son cadavre. On se contentait de le pousser vers l'orifice central pour le faire basculer au fond du puits.

Certains condamnés, comme moi, avaient droit à un traitement spécial: une cage suspendue par une chaîne au-dessus du vide. Une cage si exiguë que je ne pouvais m'y installer ni debout ni assis jambes allongées. Je devais me tenir accroupi et endurer des maux de dos et des crampes insupportables.

Raoul de Clermont espérait ainsi me briser rapidement et me contraindre de lui livrer les secrets du livre de Thot, en particulier celui de la transmutation des métaux.

Il me garda encagé de cette manière pendant des mois, venant chaque jour me poser la même question :

— As-tu réfléchi ? Es-tu décidé à me dire où tu caches ton grimoire ? Vas-tu me fournir l'or que je t'ai demandé ?

Il attendait quelques minutes puis, devant mon mutisme obstiné, il ajoutait :

— Tu ne me demandes pas des nouvelles de tes amis ?

Alors, il refermait avec fracas la lourde trappe munie de barreaux qui scellait mon caveau, me laissant craindre le pire.

Dans l'obscurité totale, je perdis peu à peu le décompte des jours et sombrai dans un état de torpeur qui me rendait insensible aux appels désespérés et aux hurlements forcenés des autres détenus.

Durant cette pénible captivité, constatant que je ne céderais pas à ses exigences mais que, par contre, je risquais de mourir dans son cul-de-basse-fosse, Raoul changea de stratégie.

Il me fit extraire de ma cage et ramener à la lumière. Amaigri et à demi aveugle, j'étais si faible que je titubais. Il exigea tout de même que je le suive et me força à gravir les marches jusqu'au chemin de ronde du château.

Là, il m'invita à me pencher aux créneaux et à regarder au pied des remparts. Juste en dessous, près du pont-levis, se dressait un gibet carré à plusieurs étages. À chaque poutre de cette sinistre construction se balançaient un ou deux pendus. Certains se trouvaient réduits à l'état de navrants mannequins momifiés par le soleil. D'autres, exécutés plus récemment, étaient encore plus effrayants. Surtout à cause de leur tête défigurée par les oiseaux qui leur avaient arraché les cheveux et picoré le nez.

— Regarde celui à ta dextre[45], me murmura le comte. Il ne te rappelle pas quelqu'un?

Je tressaillis d'effroi.

Le supplicié en question était nul autre que Marek.

---

45. Droite. Par opposition à senestre: gauche.

J'étais si bouleversé que je ne pouvais détacher mes yeux de l'infortuné bohémien dont le corps désarticulé, poussé par la brise, tournait au bout de sa corde. Une vision qui me révulsa encore davantage lorsque je remarquai un détail particulièrement atroce. Marek n'avait plus de main gauche. Celle-ci avait été sectionnée à la hauteur du poignet.

— Misérable ! m'écriai-je, pourquoi, en plus, avoir mutilé cet homme ?

Raoul plissa les paupières et esquissa un sourire sardonique.

— Une main de pendu, c'est toujours utile. On dit que ça porte chance[46].

Mon bourreau savoura l'effet qu'il avait réussi à produire sur moi et, en me reconduisant à ma prison, il ricana :

— Tu finiras bien par céder. Pourquoi prendre le parti de ces gueux au lieu de passer à mon service ? Je ne te comprends pas… Je connais les manants que tu as secourus. Ce sont canailles et sottes gens. Un dicton décrit bien cette engeance : «Poignez le vilain, il vous oindra. Oignez le vilain, il vous

---

46. Les mains de pendu desséchées servaient à fabriquer une sorte de talisman appelé «main de gloire». La nuit, on promenait cette main tenant une bougie pour découvrir l'emplacement de trésors cachés.

poindra![47] » Quand je t'aurai fait condamner pour sorcellerie, tu verras comment ta belle et tous ces braves habitants de Saint-Leu oublieront tes bienfaits et se presseront autour de ton bûcher pour mieux te voir griller.

Après un autre mois à macérer dans ma cage, je fus de nouveau extrait de ma geôle et, chargé de chaînes, je fus finalement conduit devant le tribunal que Raoul avait réuni dans la salle des gardes de son manoir.

Je m'attendais à y retrouver Kalia. Or, je remarquai vite son absence. C'était donc uniquement moi qu'on allait faire comparaître. Je ne pus m'empêcher de trouver un peu bizarre qu'on décidât ainsi de me juger sans m'avoir, au préalable, ni interrogé ni torturé.

Trois juges, un commissaire, un notaire et un frère dominicain en robe blanche étaient attablés aux côtés du comte qui, régulièrement, se penchait pour souffler ses conseils

---

47. Traduction: Piquez, frappez le paysan, il vous flattera; traitez le paysan avec bonté, il vous poignardera.

au moine qui présidait et que tout le monde traitait avec le plus grand respect.

Il ne me fallut pas longtemps pour saisir la raison de cette déférence générale à l'égard de ce religieux. Cet ecclésiastique au visage austère, presque entièrement caché sous son capuchon, était un représentant de la Sainte Inquisition venu spécialement d'Avignon[48]. Mon juge serait donc un de ces fanatiques qui, pour la plus grande gloire de Dieu, voyaient des hérétiques partout et se faisaient un plaisir de les envoyer au bûcher.

Autrement dit, mon procès n'était pas encore ouvert que je pouvais déjà en prédire l'issue.

Je fus tout de même étonné quand le moine, imposant le silence à l'assistance, ordonna, sans même m'adresser un regard :

— Faites entrer l'accusé !

Que se passait-il ? Pourquoi m'appeler alors que j'étais déjà dans la salle d'audience ?

Je fus encore plus surpris quand je vis arriver dans le prétoire deux gardes portant,

---

48. C'est le pape avignonnais Jean XXII, auteur de la bulle *Super illius specula* (1326), qui lança la chasse aux sorciers et aux sorcières qu'il confia à l'Inquisition, le redoutable tribunal ecclésiastique mis sur pied en 1229 pour lutter contre les hérétiques.

à l'aide de bâtons, un panier d'osier fermé d'où sortaient des miaulements furieux.

Ce n'était donc pas moi qu'on allait juger. C'était un chat! Et pas n'importe quel chat: mon chat Anty!

Anty qui, dans son panier, se débattait comme un enragé au point où les sergents d'armes crurent bon de s'éloigner prudemment une fois leur fardeau déposé au pied de la table où siégeaient les membres du tribunal.

C'était totalement ridicule. Comment pouvait-on traduire un animal en justice?

Contre toute attente, l'inquisiteur, lui, semblait prendre l'affaire très au sérieux, tout comme le sieur de Clermont qui, pour lors, ne me quittait pas des yeux, intéressé avant tout à voir dans quelle mesure cette parodie m'affecterait.

D'un côté, je me réjouissais du fait que Kalia soit épargnée pour aujourd'hui. Mais d'un autre côté, ce diable d'homme avait vu juste. Quelqu'un avait dû lui confier que, chez les Égyptiens, loin d'être de simples animaux de compagnie, les chats étaient vénérés comme des créatures sacrées. Tuer l'un d'eux, sur la terre de mes ancêtres, représentait plus qu'un crime, c'était un véritable sacrilège.

Ce fut donc avec un vif chagrin et un profond sentiment de culpabilité que j'assistai, impuissant, à la suite des procédures.

Elles furent expéditives et le dominicain en vint très vite à cette surprenante conclusion :

Attendu que les esclaves et les adorateurs de Satan prennent souventes fois par artifices magiques la forme de bêtes tels boucs, chèvres, ânes, chiens, chauves-souris, hiboux ou chats, nous avons tout lieu de croire que l'accusé ici présent est en fait un démon familier au service d'un sorcier notoire que messire Raoul de Clermont tient actuellement dans ses prisons et fera juger incessamment.

Comme l'accusé refuse de reprendre sa vraie apparence, nous l'avons donc fait soumettre à la question ordinaire et extraordinaire sous sa vesture[49] animale, convenant avec lui qu'il répondrait un miaulement pour «oui» et deux pour «non». Cela dit, nous avons remis ledit chat aux mains du tourmenteur qui, en le piquant avec une épingle par tout le corps, des oreilles à la queue, a découvert

---

49. Apparence.

au bout d'icelle la marque du diable ou stigma diabolicum[50], première preuve formelle de sa culpabilité. Par la suite, nous avons noté que pendant toutes les autres tortures qu'il a subies – l'épreuve du chevalet, celle de la corde et de l'eau[51] et même après lui avoir brûlé au soufre les moustaches et les parties honteuses –, l'animal n'a pas versé une seule larme[52]. Seconde preuve de ses accointances avec le Diable.

Enfin, si on se fie à ses miaulements répétés, le prévenu a d'ailleurs fini par avouer librement l'ensemble de ses crimes odieux. Il a confessé, entre autres, qu'il avait bel et bien signé de sa patte un pacte avec le démon, craché sur le crucifix, donné des hosties

---

50. La marque du Diable était censée être la trace laissée par celui-ci quand il marquait ses disciples en les piquant avec une aiguille noire. Cette trace devenait alors insensible à la douleur.

51. Le chevalet était une table à écarteler. La torture de la corde consistait à soulever le supplicié par les poignets et à le laisser retomber sur le sol. Celui de l'eau se pratiquait en lui faisant ingurgiter de force, à l'aide d'un entonnoir dans la bouche, jusqu'à neuf litres d'eau.

52. On supposait que les sorciers et les sorcières ne pouvaient pas pleurer. Le fait d'être déclaré *lacrimas emittere non postet* était considéré comme une preuve incriminante.

consacrées à manger aux crapauds, déclenché des tempêtes de grêle, fait tourner le lait des vaches, noué les aiguillettes[53], crevé les yeux des enfants au berceau, répandu la peste en ce pays en enduisant les poignées de porte avec de la graisse et de la poudre d'ossements humains et, pour finir, assisté le sorcier son maître en pratiquant avec lui le maleficium[54] de mille autres manières.

En vertu de quoi nous l'avons déclaré hérétique et coupable d'infidelitas[55] et le remettons au bras séculier, en l'occurrence sire Raoul, lequel aura charge de l'écorcher vif et de clouer sa peau sur la porte de l'église de Saint-Leu afin de servir d'exemple aux autres chats endiablés de son espèce!

Je n'en croyais pas mes oreilles. Pourtant, je n'avais pas rêvé. Raoul, par le truchement de ce moine, lui-même aveuglé par son fanatisme, venait le plus sérieusement du monde de condamner à mort ce pauvre Anty.

---

53. Rendre impuissant. Les aiguillettes étaient des sortes de cordons ferrés (comme les lacets de souliers) qui servaient à fermer les braguettes des hommes.
54. Diablerie, acte de sorcellerie. Littéralement, «mauvaise action».
55. Perte de la foi en Dieu. C'était le crime au nom duquel on condamnait les sorciers et les sorcières.

C'était de la démence. Une telle malignité ne pouvait demeurer impunie. Les dieux ne toléreraient pas un crime aussi gratuit… Je le souhaitais de toutes mes forces. Bastet entendit-elle ma prière? Je veux le croire, même si son intervention prit un tour inopiné.

Le frère inquisiteur s'était levé, prêt à quitter la salle quand, probablement tenaillé par un remords tardif, il revint sur ses pas et arrêta les deux gardes qui s'apprêtaient à emporter Anty.

— Il est de bonne charité chrétienne de toujours laisser à l'accusé une dernière chance de se repentir de ses péchés. Ouvrez le couvercle du panier qu'il puisse parler.

Aussitôt libéré, Anty, toutes griffes dehors, bondit hors de sa prison d'osier et, d'un seul élan, sauta à la figure de Raoul en lui labourant le visage avant de s'attaquer au moine qu'il mordit au sang.

— *Vade retro Satanas! Vade retro!* [56] hurla l'inquisiteur.

— Attrapez cette sale bête! aboya Raoul.

Peine perdue. Sa vengeance assouvie, Anty avait déjà filé entre les jambes de ses gardiens et pris la clé des champs.

---

56. Retire-toi, Satan!

Ce dénouement imprévu, bien sûr, me combla d'aise, contrairement au comte de Clermont qui entra dans une colère digne d'un loup dont la patte est prise dans un piège. Sa rage était si grande qu'au lieu de me réexpédier dans ses oubliettes, il me serra le cou de ses deux mains en vociférant :

— Assez joué ! Tu vas me dire où tu as caché ce maudit livre ! Si tu ne me révèles pas l'endroit, je te ferai crever les yeux. Si tu t'obstines à te taire, je t'arracherai la langue. Quant à ta bohémienne, je l'ai déjà confiée à mon bourrel[57]. Il est si habile, crois-moi, qu'il ferait parler une statue. Elle me dira tout…

Raoul s'interrompit pour reprendre son souffle et me lança un regard chargé de haine avant de poursuivre :

— … mais, crois-moi, quand mon homme en aura terminé avec elle, je crains fort que tu ne la reconnaisses plus. Aussi, peut-être aimerais-tu la revoir une dernière fois ?

J'étais au désespoir et, pour sauver Kalia, je fus tenté de céder aux demandes du comte,

---

57. Bourreau.

de lui crier : laissez-la en paix, je parlerai !
Vous l'aurez, votre or, et si vous me jurez de
libérer Kalia, je ferai de vous l'homme le plus
puissant du royaume ! Mais, dans un même
temps, la pensée que le livre de Thot puisse
être en la possession d'un homme pareil me
glaçait à un tel point que j'étais incapable de
prononcer le moindre mot.

Raoul m'entraîna alors sans ménagement
dans l'une des caves voûtées de son donjon
qui tenait lieu de salle de tortures. Le bourreau, habillé de rouge, m'y attendait, entouré
d'un incroyable bric-à-brac de pinces, de
lancettes et d'instruments hérissés de dents,
de mâchoires et de lames coupantes. Dans
une cheminée, plusieurs barres de fer
chauffées à blanc étaient plongées au milieu
d'un lit de braises ardentes.

Dès que l'exécuteur des hautes œuvres
m'eut solidement attaché à une des colonnes,
Raoul me murmura à l'oreille :

— Tu veux voir ta belle ? Eh bien, regarde,
elle est juste ici !

Je cherchai Kalia du regard et, tout
d'abord, fus incapable de la distinguer jusqu'à
ce que je m'habitue à la demi-obscurité qui
régnait dans cet antre infernal.

Kalia se trouvait bien là, suspendue en l'air, les poignets liés par une corde. Elle était entièrement nue et ses pieds ne touchaient pas le sol. Des filets de sang séché maculaient son visage. La tête tombant sur l'épaule, elle était inconsciente.

— Elle a parlé? s'informa Raoul.

— Non, messire, muette comme une tombe…

Je protestai en vain:

— Vous n'avez pas le droit! Elle ne sait rien. Laissez-la!

Ni le comte ni le bourreau ne se souciaient de moi. À dire vrai, depuis un moment, toute l'attention de Raoul était concentrée sur un étrange objet que le tortionnaire venait de lui présenter. On aurait dit une sorte de sarcophage égyptien coiffé d'une sculpture représentant la tête d'une femme, les paupières closes. Je compris vite qu'il s'agissait en fait d'un nouvel instrument de torture. La pire machine à faire souffrir qu'on puisse imaginer.

Le bourreau l'ouvrit comme une armoire pour en expliquer le fonctionnement.

— Ça vient de loin, précisa-t-il avec fierté. Un modèle unique: une vierge de fer.

Regardez, monseigneur, comme c'est ingénieux. La porte est garnie en dedans de pointes
d'acier. Le fond également. On place la victime
à l'intérieur et on referme lentement en
poussant très fort. Les pointes transpercent
alors le corps à cinquante endroits à la fois
et, le plus beau, c'est que leur espacement
est calculé pour qu'aucune des blessures ainsi
infligées ne cause la mort immédiate. Il est
donc possible de prolonger les tourments du
condamné jusqu'à ce qu'il se vide entièrement
de son sang. En outre, voyez, messire Raoul,
il y a de chaque côté une petite ouverture
qui permet, en y collant son œil, d'assister
à la lente agonie du sujet. N'est-ce pas
ingénieux ?

— Oui, en effet, approuva Raoul en
faisant jouer la porte aux pointes acérées.
Détache la bohémienne, elle aura l'honneur
d'être la première à expérimenter ton engin
de mort.

Face à l'horreur, vient un temps où la
volonté défaille et où toute résistance est vaine.
Après avoir tempêté et tiré sur mes chaînes
comme un forcené, je finis par incliner le
front, découragé et soumis.

— Vous avez gagné. Si vous cessez de lui
faire du mal, je vous dirai tout ce que vous

 119

voulez savoir et je ferai tout ce que vous me demanderez.

Mon persécuteur ébaucha un sourire satisfait et ordonna au bourreau de me détacher. Ce dernier s'exécuta, à regret, réalisant que sa diabolique machine ne serait pas inaugurée ce jour-là. Il désigna Kalia :

— Et elle, que comptez-vous en faire ?

— Laisse-la en vie pour l'instant. Néanmoins, ne te sépare pas de ton nouveau jouet, tu pourrais avoir à t'en servir plus tôt qu'on pense.

X

Debout, les jacques!

Impatient de s'emparer du livre magique qui devait le rendre immensément riche, le comte de Clermont de Nesle commanda aussitôt qu'on selle une dizaine de coursiers et, dès qu'il m'eût fait ligoter sur un des chevaux, escortés de quatre chevaliers et de quatre écuyers, nous franchîmes au galop les grilles du château.

Tel un cerf fatigué encerclé par les loups, j'étais anéanti, incapable désormais de résister aux volontés de ce tyran assoiffé de pouvoir et d'or.

Raoul, en fait, était si pressé que je lui remette le livre de Thot qu'il n'avait même pas jugé bon de revêtir la brigantine[58] ou le

---

58. Pourpoint couvrant le torse et les hanches, formé de deux épaisseurs de tissus : forte toile ou peau à l'intérieur, velours ou étoffe de soie à l'extérieur avec, entre les deux, un renfort de lamelles d'acier.

corselet de fer dont il se protégeait habituel-
lement quand il parcourait ses terres.

Le comte chevauchait donc tête nue dans
son pourpoint doré, plus orgueilleux que
jamais, persuadé que le monde allait lui
appartenir.

Rien ne pouvait l'arrêter. Il fonçait à
travers la campagne en sautant les clôtures.
Il galopait en effrayant les ramasseurs de
fagots et les pastoureaux qui, en le voyant
fondre sur eux, se signaient ou lui faisaient
les cornes avec les doigts. Il galopait sans
savoir qu'il courait vers son fatal destin et
que ce vendredi 18 mai de l'an de grâce 1358
allait ébranler l'histoire du monde.

Rien, pourtant, ne laissait présager le
drame qui allait se jouer. Nous approchions
de l'ancien champ de bataille où se dressait
l'arbre creux dans lequel j'avais caché le livre.

Raoul et ses hommes étaient encore à
cheval lorsque plusieurs serfs sortirent de leurs
maisons, la plupart portant sur l'épaule
leurs faux ou leur fourche. Mais, au lieu de
poursuivre leur chemin, les vilains s'assem-
blèrent autour de nous, silencieux et toujours
plus nombreux. Raoul tira son fléau d'armes
de sa ceinture et fit pirouetter son destrier

pour les contraindre à se disperser. Un des chevaliers qui nous accompagnaient sortit son épée et avertit le comte :

— Messire, il vaudrait mieux quitter la place et revenir en plus grand nombre !

— Ne me dites pas que vous avez peur de cette gueusaille, le rudoya verbalement Raoul. Hardi, compagnons ! Chassez-moi ces gens et, s'il le faut, taillez-les en pièces et ne ménagez pas les coups !

Perdant la tête, le chevalier frappa le premier. Un paysan s'écroula, le crâne fendu.

Ce fut le signal d'une violente échauffourée qui tourna d'abord en faveur du comte et de ses hommes jusqu'à ce qu'un des serfs s'exclame :

— Voilà Jacques et les siens !

J'eus de la difficulté à reconnaître le père de Marion sous les traits de ce chef de bande qui accourait vers nous, la hache à la main, en clamant : « Debout, les jacques ! Honte à qui renâcle ! [59] »

Jacques Bonhomme, en effet, avait non seulement troqué son chapeau de paille et sa blouse de paysan pour un chapel[60] de fer et

---

59. Cri de guerre des paysans révoltés, les jacques.
60. Casque du XIVe siècle formé d'une calotte arrondie et d'un large bord.

un vieux haubergeon[61], mais encore, il arborait l'air farouche d'un homme déterminé à ne reculer devant rien.

Dès qu'il le vit, le comte Raoul éperonna son cheval et chargea dans sa direction.

— C'est toi, scélérat, qui te caches dans les bois et soulèves mes gens! vociféra-t-il. Recommande ton âme à Dieu, car tu vas mourir!

Jacques ne broncha pas et, solidement campé sur ses deux jambes, il attendit le choc. Raoul fit tournoyer son fléau et atteignit le géant à la base du col. Toutefois, avant que le comte ne puisse frapper de nouveau, Jacques, levant haut sa cognée, lui asséna un coup d'une telle violence que le mécréant fut renversé sur la croupe de sa monture et vida les étriers.

Raoul, abasourdi et perdant son sang par une plaie béante, tenta bien de se relever, mais il fut submergé par une douzaine d'adversaires qui se ruèrent sur lui pour le poignarder et pour finalement le saigner comme une bête en lui tranchant la gorge.

---

61. Cotte de mailles à manches courtes descendant jusqu'à mi-cuisse.

— Il a vécu comme un porc. Il est mort comme un porc! gueula un des rebelles en montrant à tous son couteau dégoulinant de sang.

Le sort des autres chevaliers et serviteurs du comte ne fut guère plus enviable. Ils eurent beau défendre chèrement leur vie, un à un, ils furent désarçonnés et égorgés.

Un seul d'entre eux échappa à cette impitoyable boucherie: un jeune bachelier qui parvint à se dégager et piqua des deux en direction du château.

Quelques râlements, quelques coups de dague aux jointures des cuirasses pour achever les blessés et, bientôt, le combat cessa faute de combattants. Alors, pendant que ses amis dépouillaient les morts de leurs armes, Jacques vint à moi et, une fois qu'il m'eut délivré de mes chaînes, il me demanda ce qu'il était advenu des deux bohémiens. Je lui appris l'exécution de Marek dont il fut bien marri[62]. Par contre, au récit des sévices subis par Kalia, il s'emporta:

— Certes, je ne peux plus rien pour le montreur d'ours, mais en ce qui concerne la bohémienne, nous la délivrerons! J'ai juste

---

62. Désolé, fâché.

besoin de quelques jours pour rassembler assez d'hommes.

— Qu'allez-vous faire?

— Bouter le feu à la tanière du loup: attaquer le château de Fontaine.

— Vous êtes fou!

— Nous venons de tuer Raoul de Clermont: un noble de haut lignage. Il n'y aura pas de pardon pour moi et les miens. Alors, pourquoi ne pas aller jusqu'au bout?

Je tentai en vain de le dissuader de se lancer dans une entreprise aussi désespérée en invoquant la petite Marion qui avait besoin de son père.

— Marion est à l'abri dans la forêt de Coye avec toutes les femmes du village. Elles prendront soin d'elle, me rassura-t-il.

Je n'eus pas le loisir d'argumenter plus longuement avec lui car, déjà, le grand Jacques dictait ses ordres à la ronde:

— Toi, Jehan, tu iras avertir les gens de Montataire. Dis-leur de faire sonner les cloches et de frapper à toutes les portes. Toi, Hurtaut, tu te chargeras de ceux de Borant et de Beaumont. Quant à toi, Le Coq, tu chevaucheras plus au nord et ramèneras le plus de monde possible de Crèvecœur, de Francastel et de Beauvoir. Vous autres, vous alerterez les paroisses du Santerre et de l'Amiénois, entre Poix et Montdidier et jusqu'à Courtemanche. Ratissez tout le plat pays. D'ici une semaine, il me faut cinq mille hommes en armes.

Et une semaine plus tard, jour pour jour, Jacques Bonhomme eut son armée de paysans en révolte prêts à en découdre avec ces nobles qui les pressuraient depuis si longtemps.

Ils arrivaient de partout, du Beauvaisie et de la Picardie, mais aussi de l'Artois et de l'Auxois, du Barrois et jusque de Normandie. Comme si tout le peuple des labours et des champs, las de tant d'années de misère, avait répondu à l'appel, chaque paroisse ayant son Raoul de qui se venger.

Les rebelles étaient, pour la plupart, des va-nu-pieds, de simples manouvriers[63], des bergers, d'humbles laboureurs, mais aussi des artisans ruinés, des communiers[64] venus

---

63. Travailleurs manuels.
64. Miliciens parisiens plus ou moins commandés par le prévôt des marchands, Étienne Marcel, qui lui aussi défiait le pouvoir royal et manifestait de la sympathie pour la cause des jacques.

de Paris, des carriers armés de leurs massettes à tailler la pierre, des sergents d'armes et même des bourgeois qui arrivaient en scandant :

— Noël ! Noël[65] ! Debout, les jacques ! Debout ! Honnis[66] soient ceux qui refuseront de nous suivre avant que tous les nobles du pays soient occis !

Ils n'avaient que des armes dérisoires : piques, bâtons ferrés, gourdins, cognées, piochons, houlettes, fourches, lames de faux emmanchées, couteaux ou maillets de plomb. Pourtant, pas un qui ne fût persuadé qu'une aube nouvelle allait se lever et que le temps des gagne-petit était enfin arrivé.

Voir ces milliers et ces milliers de pauvres gens installer leur camp sous les murailles du château de Fontaine et admirer ces milliers de feux s'allumer dans la nuit comme un parterre d'étoiles descendues sur terre, c'était à la fois terrifiant et infiniment émouvant.

Deux jours plus tard, quand Jacques Bonhomme estima qu'il avait fait le plein de ses troupes, il fit sonner cornes et trompettes

---

65. Au Moyen Âge, « Noël » était un cri de joie ou de victoire.
66. Méprisés, maudits.

et, debout sur un rocher, il harangua ses soldats improvisés en ces termes enflammés :

— Nous, les gueux, quelle est notre condition ? Nous avons bon dos. Nous ne sommes que des ânes qu'on charge et recharge sans égard pour le poids que nous sommes capables de supporter. Nos seigneurs nous appellent « hurons » parce qu'à leurs yeux nos têtes ne valent guère plus que les hures des cochons sauvages. Or, d'où vient que nous soyons assez sots et abêtis pour nous laisser traiter avec une telle arrogance et une telle tyrannie ? Qui a décidé que ces nobles qui nous méprisent tant étaient supérieurs à nous et pouvaient à leur guise nous faire suer et nous rompre les bras au travail ? Ne sommes-nous pas faits de la même chair et de la même pâte qu'eux ? Est-il juste que nous engraissions ces lâches et ces bougres[67] qui ne sont plus capables de défendre le royaume et sont devenus plus adroits à faire l'amour qu'à manier l'épée ? Par tous les saints, ne croyez-vous pas que cela a assez duré ? N'êtes-vous pas las de courber l'échine ? Réveillez-vous ! Combattons pour notre liberté ! Montrons à tous ces gentilshommes

---

67. Hérétiques ou hommes efféminés.

 129

sans honneur que nous sommes des êtres humains, des hommes francs[68], et non des animaux. Debout, les jacques! Hauts les cœurs, les hurons! Prouvons à ces nobles cruels comme feu sire Raoul que nous sommes prêts à mourir plutôt que d'être de nouveau foulés aux pieds. Prenons ce château et ils sauront que le temps de notre malheur achève tandis que celui de leur effroi[69] ne fait que commencer.

Une immense clameur accueillit ce discours.

Avec ses douves profondes, ses tours d'angle et son impressionnant donjon carré, la citadelle de Fontaine dans laquelle s'étaient retranchés les partisans et la maisnie[70] du comte défunt semblait inexpugnable.

De fait, plusieurs attaques désordonnées contre la barbacane défendant l'entrée

---

68. Libres.
69. Même si l'histoire a retenu le terme «jacquerie» pour désigner la révolte paysanne du XIVe siècle, on utilisait plutôt, à l'époque, l'expression «le temps des effrois».
70. Famille, entourage.

principale furent aisément repoussées par les défenseurs qui vidèrent sur les rebelles des cuves d'huile bouillante, firent pleuvoir sur eux des carreaux d'arbalètes et brisèrent leurs échelles en laissant tomber dessus de gros moellons et de lourds madriers.

Jacques commanda que ces actions aussi coûteuses qu'inutiles cessent immédiatement.

— Il faut d'abord combler les fossés, expliqua-t-il. Ceux qui ont des haches, coupez les arbres et empilez les troncs dans les douves. Ceux qui ont des pelles, vous jetterez de la terre dedans. Les autres, ceux qui n'ont rien, vous y entasserez des fagots. Nous besognerons jour et nuit s'il le faut!

Et ces milliers d'hommes, avec l'obstination de véritables fourmis humaines, mirent moins d'une semaine à vaincre l'obstacle. Alors, protégés par des mantelets[71] couverts de peaux crues ou de fumier pour résister aux traits enflammés, des dizaines de serfs armés de pics et de pioches parvinrent jusqu'au pied des murailles. Ils entreprirent aussitôt d'ébranler les tours et les courtines en creusant sous elles des galeries qu'ils emplirent de bois avant d'y mettre le feu. Le

71. Sorte de toitures servant de boucliers.

résultat de ce travail de sape fut spectaculaire. Des craquements se firent entendre. Les premières lézardes apparurent dans la pierre et, soudain, dans un grand tonnerre de murailles qui s'effondrent, s'ouvrirent de larges brèches.

Jacques Bonhomme, sa hache brandie bien haut, donna immédiatement le signal de l'assaut:

— Montjoie[72]! À l'assaut! En avant les hurons!

Et bravant les carreaux d'arbalètes, le feu et les atroces brûlures, d'un seul élan irrésistible, une véritable marée hurlante se jeta dans la mêlée, dressant des échelles et lançant des grappins pour escalader les restes de murs encore debout.

Des hommes grimpaient et s'écroulaient, écrasés ou ébouillantés. D'autres les remplaçaient, appuyés à distance par les archers et les frondeurs dont les volées de flèches et de plombs transperçaient les gorges ou frappaient

---

72. Les jacques, qui s'attaquaient surtout aux nobles, restaient attachés au roi et au dauphin Charles. C'est pourquoi ils adoptèrent la bannière royale fleurdelisée et le cri de guerre des armées du roi: «Montjoie!»

en plein front les assiégés qui basculaient dans le vide.

Au bout d'une heure, les jacques étaient déjà maîtres du chemin de ronde et parcouraient les hourds, torches à la main, incendiant tout ce qui pouvait brûler. À coups de hache, ils démolissaient les charpentes et ceux qui n'avaient ni armes ni outils arrachaient les ardoises des toits et les lançaient sur la tête des défenseurs en déroute qui se protégeaient tant bien que mal de leurs boucliers et fuyaient la haute cour pour se réfugier dans le donjon.

J'avais moi-même ramassé une épée et une targe pour participer à la bataille finale et, comme les autres, je courais sous les projectiles qui pleuvaient de toutes parts.

Or, subitement, au milieu de ma course, une flèche se planta dans ma poitrine, juste à l'emplacement du cœur. Je ressentis une douleur fulgurante, mais aucune goutte de sang ne jaillit. Tout autre que moi eut succombé sur-le-champ à ce coup mortel. Pourtant, j'étais encore en vie. Il n'y avait qu'une explication : en ce jour, encore une fois, les dieux veillaient sur moi.

J'arrachai donc le trait d'un seul coup et repartis à l'assaut.

Jacques Bonhomme et les jacques qui m'entouraient restèrent bouche bée devant ce prodige qui eut pour effet de redonner courage à ceux qui s'acharnaient à prendre la maîtresse tour.

— Dieu est avec nous! se réjouirent plusieurs. Voyez, il nous a rendus insensibles aux flèches de nos ennemis!

Jacques Bonhomme en profita pour relancer l'offensive qui piétinait.

— Allez! Enfoncez-moi cette porte! Cognez plus fort!

Dès que le passage fut forcé à coups de bélier, je me précipitai dans l'escalier en colimaçon menant à la salle de torture. Des jacques m'avaient précédé, saccageant tout. Kalia n'y était pas. Le bourreau non plus. Du moins, c'est ce que je crus jusqu'à ce que j'avise la vierge de fer. Elle était fermée et du sang s'en écoulait. J'ouvris le couvercle. Le tortionnaire, percé de toutes parts, était à l'intérieur, mort, exsangue et la bouche grande ouverte, les yeux exorbités.

Je remontai au plus vite les étages. Des cadavres de soldats et de nobles gisaient partout, renversés en travers des marches. Les chambres des dames étaient également jonchées de corps de femmes qui, à voir leurs robes déchirées, s'étaient débattues et avaient subi les pires outrages avant d'expirer.

À un des rebelles qui sortait d'une de ces pièces, un pichet de vin à la main, je demandai :

— Pourquoi les avoir tuées, elles aussi ?

— Pour qu'elles ne puissent pas engendrer de fils qui à leur tour tondront la laine sur le dos de nos propres enfants !

Une vague de colère m'envahit et, sans même hésiter, je plongeai ma lame dans le ventre de cette brute en lui criant :

— Tu n'es qu'un chien. Si nous nous comportons aussi vilement que nos ennemis où sera notre victoire ?

J'arrivai enfin au sommet de la tour où flottaient déjà le drapeau bleu et rouge et l'étendard blanc à fleurs de lys des jacques.

J'y retrouvai Jacques Bonhomme, grièvement blessé d'un coup de masse d'armes qui lui avait ouvert le crâne. Assis au pied d'un merlon, entre deux créneaux, la tête bandée de guenilles sanguinolentes, il me fit signe en souriant.

— La place est à nous ! Désormais, rien ne les arrêtera. Écoutez-les !

En effet, de l'armée des jacques qui avait investi toute la forteresse montait un nouveau cri de rassemblement :

— Mort aux nobles ! Mort aux nobles !

— Vous les entendez ? me répéta Jacques.

— Oui, je les entends.

Se sentant navré[73] à mort, le géant m'attira plus près de lui pour me parler à l'oreille.

— La bohémienne est saine et sauve. Je l'ai trouvée dans les appartements du comte, parée comme une châtelaine. Messire Raoul se la réservait sans doute… Je l'ai fait conduire sous bonne garde à Saint-Leu.

Comme il avait de la difficulté à respirer, je lui conseillai :

— Ne vous fatiguez pas trop…

Il grimaça.

— Cela n'a plus d'importance, de toute manière, je vais mourir. C'est pourquoi j'ai une ultime faveur à vous réclamer.

— Laquelle ?

— Promettez-moi de vous occuper de ma petite Marion.

Je le lui promis.

Il ferma les yeux.

---

73. Blessé.

— C'est bien. Maintenant je peux lever le camp.

Il fut saisi d'une quinte de toux et cracha un jet de sang, retrouvant néanmoins assez de force pour ajouter quelques mots.

— Au fait, étranger, vous ne m'avez jamais dit votre nom…

— Je m'appelle Séti. Séti l'Égyptien.

Il fit alors un geste pour tirer quelque chose de derrière lui.

— Eh bien, Séti l'Égyptien, j'ai un cadeau pour te remercier. Regarde ce que j'ai trouvé aux cuisines… Ton chat !

Il cracha de nouveau du sang et, soudain, se figea. Mort.

Quand je laissai le château de Fontaine-sous-Montdidier, l'ancien repaire du comte Clermont de Nesle était en flammes. Quant à l'armée des jacques, commandée par un nouveau chef de guerre, elle s'était remise en route pour assiéger une autre place forte des bords de l'Oise et semer l'effroi parmi la noblesse du royaume de France.

XI

Épilogue

Le soulèvement des paysans dura un peu plus d'un mois, mais ces trente-six jours[74] demeurèrent à jamais gravés dans la mémoire des hommes.

À Saint-Leu, j'avais retrouvé Kalia et la petite Marion que j'avais décidé d'adopter comme ma propre enfant. Celle-ci pleura longuement son père, mais semblait trouver un peu de réconfort en soignant et en caressant inlassablement Anty. J'avais également réussi à capturer deux chevaux du comte que j'avais attelés à une charrette bâchée.

Avant de quitter les lieux pour toujours avec ma nouvelle famille, il me fallait récupérer le livre de Thot.

---

74. Du 18 mai au 24 juin 1358.

En sortant du village, je fis donc un arrêt devant le champ du chêne mort, tout près de l'endroit où Raoul avait été assassiné. Par précaution, j'invitai Kalia et Marion à m'attendre.

— Restez ici. Je n'en aurai pas pour longtemps. J'ai un objet important à aller chercher dans ce pré.

Marion, qui tenait Anty contre elle, se boucha le nez.

L'odeur, en vérité, était insupportable. Une odeur que je connaissais trop bien. Celle de la chair en décomposition.

La dépouille de Raoul Clermont de Nesle ne devait pas être loin.

Aux abords du champ, je butai effectivement sur plusieurs cadavres à moitié dévorés par les bêtes sauvages. Toutefois, j'étais incapable de localiser les restes du comte. Le livre de Thot, par contre, était bien à sa place et je pus aisément en reprendre possession.

C'est seulement en retournant sur mes pas que je tombai sur la chose. Un corps en état de putréfaction avancée, bruissant de mouches, reposait à l'emplacement où Raoul était tombé. Mais cette charogne immonde n'avait rien d'humain. C'était un mélange de viande pourrie et de poils avec une tête qui ressemblait à celle d'un loup. Un loup borgne dont l'œil unique était grand ouvert et semblait me fixer.

Pendant plusieurs semaines, nous errâmes sur les routes au nord et à l'est de Paris en nous efforçant d'éviter les bandes armées qui couraient la campagne. Car maintenant, ce n'était plus quelques milliers de paysans en colère qui parcouraient le pays, mais plus de cent mille jacques hors de contrôle qui traquaient les nobles et incendiaient systématiquement leurs châteaux[75]. Cent mille furieux menés par un chef du nom de Guillaume Calle.

Aucun ouvrage défensif ne leur résistait, même pas les plus impressionnants comme la forteresse d'Ermenonville ou le château de Thiers avec ses neuf tours construites au milieu d'un étang.

Tout le nord du royaume flambait. Les hurons, après avoir pillé les riches demeures, buvaient le vin des seigneurs, rôtissaient leurs

---

75. Plus de cent châteaux furent détruits pendant cette période.

bœufs et leurs moutons, dansaient devant les brasiers et regardaient s'enflammer les titres de propriété et les pièces d'archives qu'ils y jetaient à pleines brassées.

Vinrent ensuite une série de victoires et de revers qui entretinrent à la fois l'espoir et le doute sur l'issue de la rébellion.

Les jacques marchèrent d'abord sur Compiègne, mais furent repoussés. Puis, ils attaquèrent Meaux et son marché fortifié où s'étaient barricadés trois cents nobles terrorisés parmi lesquels la femme du régent et sa fille. Mais Gaston de Foix sauva ces derniers et infligea aux rebelles une première défaite, les chassant de la ville qu'il incendia et laissa brûler pendant quinze jours. Les jacques se replièrent alors sur Senlis où, cette fois, dans les rues de la cité, ce fut à leur tour d'infliger une cuisante défaite aux fervêtus[76] qu'ils balayèrent à l'aide de chariots garnis de lames de faux et en versant sur eux, du haut des fenêtres des maisons, des cuves de poix fondue.

Cette flambée de haine dura encore quelques jours, précisément jusqu'au 10 juin où, près de Nointel, le chef des jacques fut fait prisonnier traîtreusement par le roi de

---

76. Surnom des nobles.

Navarre, Charles le Mauvais[77] qui, à la tête de mille lances[78], pourfendit six mille jacques désemparés, donnant le signal à un bain de sang qui se poursuivit pendant dix jours et fit, selon les chroniqueurs du temps, plus de vingt mille morts.

Car les nobles victorieux se vengèrent avec une cruauté au moins égale à l'humiliation qu'ils avaient ressentie. En guise de représailles, ils rasèrent par le feu des villages entiers au cri de : «Mort aux vilains!» Pas un arbre qui n'eût à ses branches moins de cinq ou six pendus. Pas une rivière qui ne charriât des flots de cadavres de paysans passés au fil de l'épée. Pas une ville, pas un bourg qui ne dût payer un lourd tribut en or pour expier sa participation supposée aux effrois.

Ce vent de folie acheva de déshonorer la noblesse du temps tout en la ruinant, car ces loups affamés étaient si excités par leur mise à sac qu'ils ne se rendaient pas compte qu'en

---

77. Charles le Mauvais, seigneur au passé tumultueux, commandait l'armée royale chargée de réprimer l'insurrection.

78. La lance était l'unité de mesure de l'armée médiévale. La lance française représentait six hommes à cheval, dont un homme d'armes, un arbalétrier et deux auxiliaires. L'homme d'armes, revêtu d'une armure de vingt à trente kilos, montait le meilleur cheval.

massacrant le petit peuple dont ils tiraient l'essentiel de leur richesse, c'était eux-mêmes qu'ils détruisaient.

Par des chemins détournés, nous réussîmes à échapper également à ces justiciers en armure et, à la fin de l'été, nous nous trouvâmes si loin au sud que nous pûmes respirer de nouveau.

Les chevaux trottaient un bon train. Le soleil brillait. Anty dormait la tête sur les genoux de Marion. Parfois, la fillette se réveillait la nuit en sursaut, victime d'un cauchemar qui la faisait s'inquiéter à propos de son père.

— Penses-tu qu'il est au ciel? Crois-tu que la bonne Sainte Vierge l'a accueilli là-haut et lui a ouvert son grand manteau pour qu'il n'ait pas froid?

Je la rassurais:

— Oui, je pense qu'il a sa place dans ton paradis. Dans mon pays, sais-tu, après notre mort, les dieux nous jugent à l'aide d'une balance. Dans l'un des plateaux, ils placent notre âme et, dans l'autre, une plume. L'âme de ton père était si généreuse et si pleine d'amour pour toi qu'elle devait être encore plus légère qu'une plume. Tu ne penses pas?

Elle hocha la tête.

Quant à Kalia, qui voyageait assise à mes côtés, elle se consolait difficilement de la mort de son frère et traversait une période de profond abattement.

Pour la distraire, je lui parlais de l'Égypte et des contrées lointaines que j'avais parcourues.

Elle m'écoutait, songeuse.

Utilisant les enseignements du livre de Thot, j'inventai alors pour la distraire une nouvelle manière de pratiquer l'art divinatoire, à partir d'un jeu de cartes dont je dessinai moi-même les figures.

Elle m'objecta qu'elle lisait déjà l'avenir dans les lignes de la main. Je lui répliquai que ce jeu-là ouvrait aux initiés la porte de tous les mystères du monde.

Incrédule, elle haussa les épaules, jusqu'à ce que je lui fasse une démonstration.

— Tu vois, il y a vingt-deux arcanes majeurs et chacun illustre un symbole : le Soleil, la Lune, l'Étoile, la Mort, la Justice, l'Amoureux, le Chariot, le Diable, le Pendu… Tu tires neuf cartes et tu les alignes comme ça, en trois rangées. La première représente le passé. La seconde, le présent. Et la troisième, l'avenir.

— Et que disent-elles?

— Celles-ci disent que tu vivais dans l'attente. La Roue de la Fortune rappelle les bouleversements que tu as vécus. Cette carte-là, l'Étoile, indique que ton souhait le plus cher est en train de se réaliser et celle-là dit que tu m'aimes, que tu es ma princesse du Nil…

Kalia sourit.

— Et comment s'appelle ce jeu?

— Le tarot[79].

Elle m'écouta avec une attention soutenue lui expliquer le sens de chaque carte avant de me demander:

— Et ce jeu, tu me le donnes? C'est bien vrai?

— Oui.

— Alors, nous allons voir.

Elle ramassa les cartes, les mélangea soigneusement et me tendit le paquet:

— Choisis!

— Que veux-tu savoir?

— Je veux savoir d'où tu viens. Qui tu es. Et si tu m'aimeras toujours.

---

79. Ce nom serait une déformation phonétique du mot «Thot».

La Mort Noire

La peste se déclara en Mongolie vers 1320. Ramenée en Europe par les marins génois revenus de Kaffa, ville de Crimée assiégée par la Horde d'or, la maladie apparut d'abord à Messine (1345-1346) avant de se répandre dans toute l'Europe aussi loin qu'en Islande et au Groenland. Selon les différentes sources, elle fit entre 24 et 40 millions de victimes sur une population estimée entre 75 et 80 millions d'habitants, la mortalité dans certaines villes atteignant les 40 %. La grande peste de 1347 perdura jusqu'en 1351. Elle tua des rois (Alphonse XI de Castille), emporta le fils de l'empereur de Byzance, la reine Jeanne de Navarre, fille du roi de France, ainsi que Bonne de Luxembourg, épouse du dauphin de France, le futur Jean II.

TABLE DES CHAPITRES

**Daniel
Mativat**

Né le 7 janvier 1944 à Paris, Daniel Mativat a étudié à l'école normale et à la Sorbonne avant d'obtenir une maîtrise ès arts à l'Université du Québec à Montréal et un doctorat en lettres à l'Université de Sherbrooke. Il a enseigné le français pendant plus de 30 ans tout en écrivant une quarantaine de romans pour la jeunesse. Il a été trois fois finaliste du prix Christie, deux fois du Prix du Gouverneur général du Canada et une fois pour le prix TD. L'auteur habite aujourd'hui Laval.

COLLECTION CHACAL

Ce livre a été imprimé
sur du papier enviro 100 % recyclé.

Empreinte écologique réduite de:
Arbres: 3
Déchets solides: 90 kg
Eau: 8 552 L
Émissions atmosphériques: 199 kg

Ensemble, tournons la page sur le gaspillage.